KRONIEK VAN ONMACHT

Jennie Vanlerberghe

Kroniek van onmacht

Sarajevo, Srebrenica... tien jaar later

GLOBE

c.i.p. Koninklijke Bibliotheek Albert i

KRONIEK VAN ONMACHT
Jennie Vanlerberghe

ISBN 90 5466 757 5
NUR 689, 740

© 2005 by Globe
Globe is een initiatief van de uitgevers van Knack, Trends en VAR

Roularta Books NV, Roeselare
Tel. 051 266 559
Fax 051 266 680
roulartabooks@roularta.be
www.roulartabooks.be

Boekverzorging: MMS Grafisch Werk, Amsterdam
Foto's: Reuters
Eindredactie: Sofie Messeman
Ontwerp omslag : Roularta, Roeselare
Druk: Erasmus, Wetteren

Wettelijk depot: D/2005/5166/34

Met dank aan

Mijn familie voor hun geduld
Françoise voor haar gezelschap
Alle vrouwen die vrijmoedig hun verhaal vertelden

Inhoud

Voorwoord

Bij rampen en conflicten worden de slachtoffers overspoeld met hulp, haast verstikt onder de goede bedoeldingen. Heel lovend, maar daarna? Tien jaar later bijvoorbeeld? Wat zie je dan?

Daarom ging ik terug. Terug naar de plaats van ellende en onmacht. Tien jaar later is de onmacht misschien nog groter. Het lijkt onmogelijk de gebeurtenissen van het verleden los te laten. Het verleden verstikt nog steeds de toekomst, maakt het onmogelijk om normaal te leven. En het roept vragen op als de Bosnische Ermin zegt: 'en waar is al dat geld dat destijds voor Sarajevo bestemd was, gebleven? Waarom controleert het Westen dat niet?'

Tijdens de Balkanoorlog (vanaf 1991) ontmoette ik veel vrouwen. Enkele jaren na de oorlog verloor ik hen uit het oog, omdat het leven me meenam naar andere uitdagingen, naar andere horizonten. Samen met hen had ik ontelbare keren door het vervloekte oorlogsgebied gereisd; veel intense, verdrietige en heel gevaarlijke momenten meegemaakt.

Ana en ik hadden ons meer dan eens in bijzonder hachelijke situaties bevonden. Om te overleven, waren we nu en dan enkel op elkaar aangewezen. Dat schepte een onnoemelijke band. Op den duur noemden we elkaar 'sister'.

Met Visnja reisde ik mee naar Washington en naar New York om het uit te schreeuwen hoe ongelofelijk erg die oorlog wel was. Hoe vrouwen en kinderen vernederd werden. Hoe dringend er vrede moest komen.

En ja, ik botste al eens op nationalisme dat soms moeilijk van gewone vaderlandsliefde te onderscheiden was. Soms moest ik echt uitkijken om niet te worden meegesleept. Ook voor de vrouwen was het moeilijk. Ana bleef over kinderhoofdjes van alle nationaliteiten strelen. Maar nu en dan zag ik een bittere trek rond haar mond. Het leerde me in elk geval dat oorlog harde en ongelijke kanten heeft: de kant van een vriend en die van een vijand. Het leerde me dat er zovelen schuldig en zovelen onschuldig zijn.

Soms verbleef ik op het appartementje van 'mum', die me als een tweede moeder in haar armen sloot. Ze breide sokken, sjerpen en tasjes voor me. Ze versierde kerstmannen en paaseieren die ze in mooie pakjes stopte.

De verhalen van vluchtelingen, verkrachte vrouwen en onthutste kinderen vulden mijn hart, mijn wezen. Ze kropen op den duur onder mijn huid. Soms maakte ik me boos als iemand duidelijk aangaf genoeg te hebben van wat ik te vertellen had. Ik was verbaasd over de onverschilligheid, het onbegrip. Hoe was dat mogelijk, het gebeurde allemaal op amper duizend kilometer van bij ons?!

Mijn familie, mijn vrienden moesten het heel dikwijls zonder mijn aandacht stellen. Ze bleven gelukkig mijn engagement steunen.

En toen... toen stopte de oorlog. Eind 1995 werden de Dayton-akkoorden getekend. De jaren gingen aan de haal met herinneringen. De telefoons naar 'sister' Ana werden schaarser, de mails naar Visnja sporadisch. De kerstkaarten verschraalden. Zij van hun kant antwoordden zelden. Alles viel stil.

En nu, tien jaar later? Tien jaar na de Dayton-akkoorden, tien jaar na Srebrenica?

Zijn de geronnen bloedvlekken uitgeveegd? Heeft haat plaats gemaakt voor begrip, voor vergeving?

Het duurde lang eer ik Ana terugvond, of liever eer ik haar aan de telefoon kreeg. Op mijn oproepen reageerde ze niet. Ik bleef aandringen. Ook de anderen reageerden afstandelijk.

Het antwoord van 'mum' was werkelijk een koude douche. 'Neen, je moet niet meer komen.' Misschien wou ik absoluut daarom gaan. Er was dus duidelijk iets aan de hand.

Munira en andere moedige vrouwen van Srebrenica heb ik in 2000 tijdens een vredescongres in Frankrijk ontmoet. Ze hielden beklijvende toespraken, ze riepen op en waren overtuigd van hun gelijk. Toen waren die vrouwen nog steeds verlaten van God en van iedereen. Kort daarna hebben Munira en de anderen hun gelijk gehaald.

Tien jaar geleden werden ze als vee weggevoerd terwijl men lustig hun vaders, zonen en mannen doodde. De internationale gemeenschap keek toe. Het duurde een hele tijd eer het woord 'volkerenmoord' viel, eer er spijt werd betuigd.

Ik ben blij dat ik ook innemende Servische vrouwen heb ontmoet en dat ik in veel verhalen heel wat positieve Servische anekdotes heb kunnen opnemen. Want vriend of vijand is voor mij geen kwestie van nationaliteit.

Eén ding is zeker: tien jaar later is de onmacht bijzonder groot.

DEEL I

Het verleden verstikt de toekomst

Ismeta in een Franse voorstad

'Ik voel haat, ja. Veel haat. Nog even veel haat als meer dan tien jaar geleden. Ik sta ermee op en ga ermee slapen. Haat bepaalt mijn leven, maar ik weet dat goed onder controle te houden. Niemand weet dat. Het is mijn geheim. Ja, ik voel verachting, verachting voor het leven, verachting voor iedereen eigenlijk. Behalve voor mijn twee kinderen... misschien.'

Ismeta woont in één van de grote woonblokken in Villeneuve-d'Asq, een voorstad van Rijsel. Woonblokken die zichzelf in alle eentonigheid herhalen. Dezelfde vaalheid, dezelfde vensters, dezelfde wasdraad over het terras en dezelfde jonge kinderen die wat arrogant op de parking met fietsen en skateboards rondrijden. Hun eigen, open wereld, want thuis slaat de bevangenheid toe.

Bevangen is ook de trap naar Ismeta's appartement. Afgebrokkelde stenen, grauwe muren hier en daar opgesmukt met graffiti en een alomvattende vieze geur die onopgeruimde uitwerpselen doet vermoeden.

Ismeta heeft haar appartement met wat moderne meubels van Ikeasignatuur ingericht. Een moderne lamp, een paar plantjes en een immense sofa waarin haar kleurrijk geklede moeder van vierentachtig ligt te zuchten, terwijl ze een oog op de flitsende televisie houdt. Op TF1 zendt men graag blitse shows uit met gestileerde dames en gesticulerende heren. Het is zo goed als zeker dat Zembla geen woord van de peptalk begrijpt.

Zes maanden per jaar komt Zembla bij haar dochter in Frankrijk wonen, de andere zes maanden blijft ze bij haar zoon in Prejidor in Bosnië. Frans leert ze niet, waarom zou ze? Ze komt in de winter naar Frankrijk en behalve een familieuitstap naar het warenhuis Auchan waar ze zich vergaapt aan de westerse weelde, blijft ze thuis. Als een levend monument van een geteisterd land dat nog steeds zijn draai niet vindt.

Zembla mort hoofdschuddend over alles en nog wat, en vooral over haar tienerkleinkinderen. Ze breit sokken die door niemand meer worden gedragen en beklaagt zich over het onbegrip van de moderne wereld die geen rekening houdt met waarden. Haar waarden liggen in het moslimgebed dat eeuwig en altijd op haar lippen trilt.

De aanwezigheid van haar moeder stemt Ismeta zeker niet vrolijk. 'Enfin, maman,' zegt ze in het Frans. Tegen mij: '*elle m'énerve!*'

Zembla lijkt plots tot leven te komen, de gebloemde lange rok beweegt. Mijn aanwezigheid is haar opgevallen. Ze vraagt iets aan Ismeta. De voor mij onbegrijpelijke conversatie met haar dochter duurt niet lang. Daarna spitst Zembla zich toe op mijn culinair welbehagen, ze wil absoluut koffie serveren.

'Kaffa,' zegt ze, en maakt een gebaar met haar magere hand die bestrooid is met bruine ouderdomsvlekken. Maar ook hier geeft Ismeta niet toe en troont me mee naar de keukentafel waar ze een fles rode wijn voor me opent. Zembla besluit daarna om geen aandacht meer aan me te geven en concentreert zich nu helemaal op de televisie.

Ismeta stuurt haar twee kinderen naar hun kamer.

'Wat ik te vertellen heb, is niet voor jullie oren bestemd,' zegt ze kordaat. De twaalfjarige zoon protesteert. Hij is nieuwsgierig en wil eindelijk die familiegeheimen kennen. Misschien wou hij gewoon tv kijken, maar ook hier blijft Ismeta kordaat. 'Je kamer,' herhaalt ze.

Ismeta is negenendertig, klein en bijzonder mager. Haar donkerblonde, korte haar omlijnt haar gezicht dat regelmatige trekken heeft. Haar ogen zitten diep achter een veel te grote bril. Heel voorzichtig schenkt ze mijn glas vol en daarna haar glas. 'Een goed glas wijn kan deugd doen,' zegt ze als een authentieke Française die spijs en drank te allen tijde op prijs stelt.

Het heeft nogal wat overredingskracht gekost om haar zover te krijgen haar verhaal te vertellen.

Ismeta: 'Ik wil er eigenlijk niet meer aan denken. Ook niet over wie ik ben, maar rond mij zijn er altijd dingen die me aan het verleden herinneren, die me erop wijzen dat ik maar een vluchtelinge ben. Maar niemand, niemand in mijn omgeving kent mijn verhaal. Mijn herinneringen kan ik ook moeilijk verwoorden. Ik hoop dat je geduld met me hebt.'

Ismeta steekt een nieuwe sigaret op. Begint in haar keuken plots wat met de afwas te rommelen. Alsof ze de start van haar levensverhaal ontvlucht. Langzaam veegt ze het aanrecht proper, laat wat water lopen, neemt een handdoek en wrijft een paar glazen droog en dan keert ze terug naar de tafel.

Ismeta: 'Ooit zal ik onze geschiedenis aan mijn kinderen moeten vertellen. Momenteel verzamel ik alles wat over "onze" oorlog verschijnt, zodat ik klaar zal zijn. Nu zijn ze nog te jong. Ik spreek nooit over mijn verleden, ik spreek nooit over hun vader, misschien is dat af te keuren, maar het is zo. Ik heb geen argwaan tegenover de Fransen, tegenover mijn buren, maar ik heb ook geen behoefte om hun alles te vertellen. Ik ben nogal naïef, ik geloof iedereen en meestal voel ik me daarna door iemand verraden.'

23 juli 1992 Prejidor- Bosnië

Een prachtige zomerdag. Het zou een vredig plaatje kunnen zijn van boeren die naar hun land trekken, van arbeiders die naar hun werk gaan, van vrouwen die de tapijten uitkloppen terwijl ze over hun vensters hangend een praatje slaan met de buurvrouw, van markten die zich met locale groenten vullen, van kinderen die dartelend naar school lopen. Dat was inderdaad een illusie. Bosnië werd sinds april door een oorlog geteisterd en het bleef er heel onrustig. Niemand had nog werk. Vreselijke verhalen deden de ronde. Prejidor is een moslimstadje in het noordoosten van Bosnië, omringd door heuvels. Sinds het begin van de oorlog was het ook het doelwit van Servische razzia's. Of liever van etnische zuiveringen. De echte omvang van de gruwel was in Prejidor vooralsnog onbekend. Zelfs niet wat er in het beruchte Omarskakamp gebeurde. Het kamp lag namelijk in de directe omgeving van Prejidor.

Ismeta: 'We dachten: ze zullen vooral het centrum van de stad viseren. Daarom verbleven wij, mijn man en ik met onze twee kinderen, al een tijdje in het huis van mijn ouders. Het huis lag tegen de heuvels, op amper 2 kilometers van de hoofdweg en vlak bij de grote moskee. Alleszins weg van de omgeving waar de Serviërs zaten. Ook mijn broer, zijn vrouw en kinderen verbleven om dezelfde reden bij mijn ouders. We hadden de woensdag al gehoord dat Serviërs huis na huis binnenvielen. Berichten waren echter altijd heel verward. Er werd druk getelefoneerd en met de buren liep de tamtam goed gesmeerd. In elk geval liep niemand nodeloos buiten. Toen kwam plots het bericht dat men op zoek was naar wapens. Het stelde ons wat gerust, want we hadden geen wapens. De donderdagmorgen om negen uur klopten ze wel aan onze deur. Je verwacht zoiets, maar schrikt toch behoorlijk. Iedereen moest het huis uit. We stonden in het voortuintje te wachten op wat komen zou. De rozen bloeiden weelderig tegen het groene hek. De natuur kan zo mooi zijn, het is dan onwezenlijk dat mensen zo beestachtig doen. Ook de buren werden naar buiten gestuurd, we stonden elkaar aan te kijken. Niemand durfde te bewegen, of een woord te zeggen. Maar de kinderen begonnen te huilen en mijn man kon het niet meer aanzien en protesteerde heftig. "Wees toch niet zo onmenselijk, wat hebben we jullie misdaan? Laat mijn vrouw met de kinderen terug naar binnen," zei hij. Ik stond met mijn zoontje in mijn armen, hij was amper een maand oud, zijn zusje tweeëntwintig maanden. De soldaten weigerden, we moesten blijven staan. Uiteindelijk moesten alle mannen mee. Ze liepen voor de soldaten, hun handen op hun hoofd. Mijn man draaide zich nog even naar me om en kreeg een klap van een geweer. Ik hoorde hem verder protesteren en ik weet dat ik toen dacht "hou op, het heeft geen zin". Toen iedereen weg was, gaf de laatste soldaat, het kan ook een chef of zoiets geweest zijn – militaire rangen interesseren me niet – het bevel dat wij naar binnen mochten en de eerste uren maar beter niet buiten konden komen.

"We houden u in de gaten," zei hij. We sloten alles af en zaten verschrikt in de woonkamer te wachten op wat komen zou. Ik had de daver op mijn lijf, mijn moeder zat te huilen en mijn schoonzus rookte de ene sigaret na de andere. Ze zei voortdurend: het voorspelt weinig goeds, het voorspelt weinig goeds. "Zwijg toch," antwoordde ik. Om twee uur in de namiddag werd het kalm in de straat, leek het gevaar geweken. Heel voorzichtig zijn we toch buiten gekomen en naar de buren geslopen. Mijn schoonzus kreeg gelijk, de buren vertelden ons dat er vreselijke dingen gebeurd waren. Zo begint alle onheil, eerst is er verbazing en daarna die onnoembare angst. We zagen vuur uit het dak van de moskee komen. Zonder omkijken ben ik tot aan de moskee gelopen. Daar voor de poort van de moskee lag mijn man helemaal zwart geblakerd, als een foetus in elkaar gedraaid. Er lagen nog een aantal andere verbrande lichamen. Daarmee hadden de Serviërs ons diep vernederd. Moslimmannen en de moskee, samen in brand gestoken. Mijn vader en broer had ik tussen de verbrande lichamen niet eens herkend. Wel een paar jongens van de buren. Zo onwezenlijk allemaal. Enkele uren daarvoor lagen mijn man en ik nog naast elkaar in bed. Warm dicht bij elkaar alsof niks ons zou kunnen scheiden en nu lag hij daar verkoold. Ik weet niet eens meer hoe ik gereageerd heb, ik denk dat ik luid begon te roepen. Op hetzelfde moment werden elders in Prejidor vrouwen op een beestachtige manier verkracht. Dat wisten we toen nog niet.'

Ismeta moest aan haar moeder en schoonzus het vernietigende nieuws gaan vertellen. Eén en al verwarring en verdriet. Niemand voelde zich nog veilig in het huis. Het werd een eindeloze nacht, een nacht waar men hopeloos naar de eerste tekenen van de nieuwe dag uitkeek om dan te ervaren dat die dag enkel het wanhopige vervolg van de nacht was. Angst en verdriet laten zich niet door daglicht vangen.

Ismeta: 'Ik weet niet goed meer hoe we de nacht doorkwamen. Mijn eerste nacht als weduwe. De baby was heel onrustig. Ik herinner me dat we totaal uitgeput gingen slapen, maar een half uur later zaten we allemaal opnieuw in de woonkamer. De volgende morgen ben ik meteen terug naar de moskee gaan kijken. God, mijn man lag daar nog steeds. Niemand durfde ook maar een hand uitsteken om de lijken te bergen. Er stonden trouwens Servische soldaten bij, als bewaakten ze een mijnenveld. Op de terugweg sprak een buurvrouw me aan en vertelde me dat ze mijn vader en broer dood aan de kant van de weg had zien liggen en dat ze zeker wist dat mijn man eerst werd doodgeschoten vooraleer hij in brand werd gestoken. Het moest me troosten, in mijn hoofd en hart was daarvoor geen ruimte meer. In 24 uur hadden we in onze familie af te rekenen met drie doden. Drie doden waarover we zekerheid hadden. Bij vier van mijn zussen werd hun man ook meegenomen. Drie van hen kwamen nooit meer terug. Ook de achttienjarige zoon van mijn oudste zus is gedood.'

Om hoeveel personen kan men in één keer rouwen? Een dag later kwamen Servische bussen aangereden en iedereen kreeg een 'kans' om te vertrekken. Wie niet meeging, werd geen verdere veiligheid gegarandeerd. Ismeta's schoonmoeder, die dichtbij woonde, weigerde mee te gaan. Ze wou in de omgeving van haar gedode zoon blijven. Bovendien had ze nog twee zonen waarover ze geen zekerheid had.

'Waar zijn ze?' De soldaten gaven geen antwoord. Ismeta vulde een rugzak met eten en melk voor de kinderen. Ze nam een lichte vest en wat knuffels, ze was er stellig van overtuigd dat ze naar minder gevaarlijk gebied in Bosnië zou gaan en later terug zou keren.

Ismeta: 'Op dat moment wou ik weg. Het was zo'n vreselijke plaats. Zelfs zonder die bussen zou ik daar een tijdje weggegaan zijn. Naar familie in een andere stad of dorp. We werden naar Trnopolje gebracht, een vluchtelingenkamp op ongeveer 15 km van Prejidor. Daar zijn we één dag gebleven, daarna werden we opnieuw verplicht te vertrekken. Deze keer met ouderwetse open vrachtwagens die ons naar Travnik voerden. Niet makkelijk met een baby en een klein kind, dat kan ik je verzekeren. In dat kamp heb ik één van mijn andere zussen teruggevonden die toen al wist dat ze haar man en zoon verloren had. Het was voor mijn moeder, die toen tweeënzeventig was, ook een echte calvarieberg. Ondertussen was mijn schoonmoeder, weliswaar onder luid protest, uit haar huis gezet en meegenomen. Gelukkig wist ik dat pas veel later, want het troostte me dat er toch iemand dicht bij mijn man bleef. Ze hebben de lijken na enkele dagen gewoon op een vrachtwagen gegooid en weggevoerd.'

Het vluchtelingencentrum in Travnik was een school. Toen Ismeta en de andere vluchtelingen er werden 'afgeleverd' was het net vakantie. Het zou nog jaren duren eer de school opnieuw haar oorspronkelijke bestemming zou krijgen. De klassen lagen vol matrassen, vrouwen en kinderen zaten dicht bij elkaar. Privacy op nul. De dagen trokken zich telkens langzaam, heel langzaam naar de avond toe. Een vermenigvuldiging van verveling. En van vreselijke verhalen die ook heel erg op elkaar leken. Vluchten is niet uniek, vluchtelingenkampen ook niet. Het zitten, het slapen en het eten is een collectief gebeuren. Het eten in Travnik moest in de keuken worden afgehaald. Elk zijn schoteltje, elk evenveel. Er was echter niet genoeg. Discussies laaiden op. Mijn brood, mijn banaan. Kinderen werden nerveus, hielden de vrouwen wakker.

Ismeta: 'Ja, het was vernederend, maar er waren ergere zaken. Ik was vooral met mijn kinderen bezig. Weet je, ik probeerde de doden uit mijn gedachten te bannen. Akkoord, ik heb mijn man dood gezien, maar voor mij is dat niet waar. Er is niks gebeurd. Niks meer dan een film, een horrorfilm. Ik denk nog altijd, nu, zoveel jaar later, dat ik wakker zal worden en merken dat alles een nachtmerrie was.

We zijn maar één week in Travnik gebleven. Daarna werden we naar Zadar, aan de Adriatische kust in Kroatië gevoerd, waar we twee maanden bleven. Net hetzelfde scenario. Officiële hulp was er ook niet. Kleine hulporganisaties zetten zich wel enorm in. Er kwamen goederen uit het buitenland. Teveel van het een, te weinig van het ander. Ik heb mijn plan getrokken, nooit heb ik aan iemand iets gevraagd, ik was tenslotte geen bedelaar. Ik heb mijn fierheid kunnen bewaren. We waren er intussen met een redelijke groep van onze familie. Mijn moeder, zus, schoonzus, ikzelf en de kinderen.'

Enkele weken later staat er Franse familie van Ismeta's echtgenoot aan de poort van het vluchtelingenkamp in Zadar. Alleen Ismeta en haar kinderen worden uitgenodigd om mee te rijden naar Frankrijk, de anderen niet. Terwijl Ismeta samen met haar twee kinderen in de auto stapt, stopt voor het vluchtelingenkamp een bus die haar familie naar Zagreb naar een ander vluchtelingenkamp zal voeren. Even nog twijfelt Ismeta. Gaat ze met de bus mee of met de auto? Blijft ze bij haar moeder of gaat ze mee naar Frankrijk? 'Ga toch weg,' maant haar moeder haar aan, 'denk aan je kinderen.' Het afscheid is bijzonder pijnlijk. Een dag later komen ze in Troyes aan, waar ze in tegenstelling tot Ismeta's verwachting niet bij de familie verblijven, maar naar een Frans asielcentrum worden gebracht. De familie verzekert haar dat het voor haar toekomst beter is. Vooral voor de afhandeling van papieren.

Ismeta: 'Ik heb dan maar direct asiel aangevraagd. Zo ben je wel meteen tot officiële vluchtelinge gedegradeerd. Al heb ik diep in mijn onderbewustzijn altijd mijn status van vluchteling genegeerd. Ik wou absoluut normaal zijn, geen vluchteling. Zoals iemand die zijn eigen handicap negeert. Na enkele weken heb ik er alles aan gedaan om ook mijn familie naar Frankrijk te krijgen. Twee maanden later kon de rest van de familie komen. Nog steeds bleef ik ervan overtuigd dat alles maar voorlopig was. Toch ging ik naar de Franse les die in het centrum werd gegeven. Met de andere Bosniërs zaten we dag en nacht voor de televisie. Angstig om wat er aan het gebeuren was, hoopvol dat het zou eindigen. Franse hulporganisaties stonden ons goed bij en een paar keer vroegen ze me om over Prejidor te vertellen. Maar het waren woorden in de wind. Eigenlijk word je als een aap tentoongesteld: "Kijk eens wat ze meegemaakt heeft." De mensen schudden hun hoofd: "Amai, zoveel ellende." Daar blijft het bij.'

Na anderhalf jaar wordt Ismeta als vluchtelinge erkend. Ook haar familie krijgt de nodige papieren. Ze moeten nu wel naar een centrum waar erkende vluchtelingen verblijven. In Marc-en-Baroeul, Noord-Frankrijk, is er plaats voor tien personen. Voortaan krijgen ze een kleine toelage. En wat voor Ismeta belangrijk is: ze mag werken.

In een textielfabriek in Roubaix kon ze beginnen. 's Morgens om halfzeven vertrok ze met het openbaar vervoer. De kinderen zaten dan gereed om een paar uur later naar school te vertrekken. Ismeta zocht steeds haar zelfde plaatsje op de bus. Minzaam lachte ze naar steeds dezelfde gezichten of keek naar buiten, naar het grauwe landschap. De nieuwtjes die elke dag de ronde deden interesseerden haar maar matig. Het enige woord dat haar hoofd deed draaien was: Bosnië. De textielfabriek lag in een industriezone en was een groot verouderd gebouw. Het licht kwam binnen via ruiten in het dak. Tijdens de zomer brandde de zon genadeloos, in de winter zag je de pakken sneeuw langzaam wegsmelten. Om vijf uur werd de dag afgeblazen. Daartussen waren er rustpauzes waar koffie, soep of boterhammen werden verorberd of waar de sigarettenrook in dikke wolken boven de praatjes werd verspreid. In die rustpauzes hield Ismeta zich zo veel mogelijk apart. Weg van de nieuwsgierige vragen. Weg van de uitleg die ze zou moeten geven. Zonder opkijken stikte ze zakken op jeansbroeken. Altijd dezelfde stof, dezelfde broeken, hetzelfde patroon. Alle naaimachines werden door een centrale computer gecontroleerd. Indien naaimachine 39 te lang stil lag, werd de werkster op het matje geroepen. 'Wat heb je van elf tot kwart na elf gedaan?' Je kon maar beter een geldige uitleg hebben. Want het ging niet zo goed met het bedrijf. De Amerikaanse connectie had te kennen gegeven naar goedkopere loonlanden te willen uitwijken. Ismeta onderging het systeem, nooit werd zij op het matje geroepen en als de vakbonden met stakingen dreigden, bleef ze op de achtergrond hopen dat ze haar werk niet zou verliezen en haar familie kon blijven helpen. Niettegenstaande er met veel overtuiging werd betoogd, gefloten en geschreeuwd, sloot het bedrijf eind 1998 voorgoed zijn deuren. Ismeta stond samen met alle andere werknemers op straat.

Ismeta: 'Pijnlijk natuurlijk. Want ik was tamelijk goed betaald en kon mijn kinderen en mijn familie onderhouden. Al was het toch een eentonige en eenzame job. Elke dag telde ik de minuten af om 's avonds naar huis te gaan en om dan samen met mijn kinderen en mijn familie mezelf te kunnen zijn. Voor de rest had ik met niemand contact. Het was me ondertussen ook duidelijk geworden dat mijn verdere leven zich in Frankrijk zou afspelen. Mijn kinderen groeiden hier op, hadden vriendjes en hadden weinig last van het verleden. Eerder dat jaar waren mijn moeder en mijn schoonzus naar Bosnië teruggekeerd. Ik wilde niet meegaan en legde mijn handen op mijn oren als ze het erover hadden. Ik werd er zelfs heel zenuwachtig en kregelig van. Met volle overgave heb ik me toen verder op de Franse taal gestort en daarna heb ik cursussen Engels en informatica gevolgd. In 2001 haalde ik mijn diploma. Sinds een paar jaar werk ik aan de universiteit van Rijsel op de dienst informatica. Voor mij is mijn leven nu geslaagd. Ik doe het heel graag en word gewaardeerd. Als ik 's morgens de trappen van de universiteit oploop, voel ik me gelukkig. Ik ben een carrièrevrouw geworden en ben daar fier op. Mijn collega's zijn tof, ik vier hun verjaardagen en trakteer met pralines. Maar mijn verleden blijft op afstand. Iedereen weet dat ik een alleenstaande moeder ben, op een appartement woon en uit Bosnië kom. Punt. Meer niet. Tijdens de week werk ik, tijdens de weekends poets ik mijn appartement. Of ik ga op bezoek bij mijn zus. Zij is ook in Frankrijk gebleven en woont in hetzelfde blok, wat heel handig is voor de kinderen. Een nieuwe relatie? Dat zie ik niet zitten. Het zit niet in mijn hoofd om te hertrouwen. Ik geef toe dat het misschien goed zou zijn om iemand te hebben, maar ik kan het niet. Ik ga niet uit en ik zie me echt niet met een andere man. De liefde zegt me niks. Ik geloof daar niet meer in. Hoe zal ik iemand vinden die aan het beeld van mijn man beantwoordt of een vader voor mijn kinderen kan zijn? Als je zo veelvuldig met de dood werd geconfronteerd, is leven op zich al een hele opgave. Trouwens ik had nooit verwacht dat er zoveel tragiek in mijn leven zou komen. Mijn verleden vervolgt me en belet me te genieten. Het is heel complex. Ik voel me gehinderd, er is altijd die rem. Nog steeds ben ik aan het revalideren van een kwetsuur. Ik wil het zelfs niet vergeten. Voor mijn kinderen zie ik een Franse toekomst. Ze waren te klein, ik voel bij hen geen wonden, maar ze blijven me toch vragen stellen. In Bosnië wil ik nooit meer wonen. Ik haat een land dat zo met zijn bevolking omgaat. Een paar keer ben ik mijn moeder gaan halen en dan haast ik me telkens terug naar hier. Nochtans voel ik me zelf geen Française. Wie ik ben? Ik weet het niet... Ismeta zeker.'

Zembla is in haar zetel in slaap gevallen. Heel regelmatig gaat haar borst op en neer. De televisie staat nog aan, zit al diep in de avondprogrammatie. Uit de jeugdkamers waar een tijdje heel harde muziek klonk, komen geen geluiden meer. Onze fles wijn is bijna leeg.

'Ismeta,' vraag ik als ik haar bij het afscheid omhels, 'Ismeta, waarom gaan we niet eens leuk samen iets eten. Wij twee.'

'Oké,' zegt ze, 'dat wil ik misschien wel eens doen, maar we komen niet meer op ons gesprek terug? Beloof je dat?'

'Beloofd!'

Even later sta ik in de donkere gang en draai me nog even naar Ismeta om. Ze komt een paar stappen naar me toe gelopen.

'Ik moet nog iets zeggen. Ik werd niet verkracht hoor. Schrijf dat niet hé.'

Ik aarzel even vooraleer te antwoorden.

Ze herhaalt nadrukkelijk: 'Je gelooft het toch dat ik nooit verkracht werd?'

'Ismeta, we hadden toch afgesproken niet meer op het gesprek terug te komen?'

Ze glimlacht en werpt me een kushand.

Dear Jennie,

thank you very much for your letter. I didn't hear from you for a long time. At first I want to give you my gratulations for your four books, you have so much positive energy.

I understood your wishes – in connection with your fifth book, but I have to be sincere I can't help you – not directly. There are some different reasons.

All women I helped and contacted for 10 years are not more in Zagreb. The last one has moved with her family back to Vukovar two months ago. One of them live out of Zagreb. Two others got the appartements (I have heared) out of Zagreb – no contact, no address, no phone number.

My personal situation is not good, I'm walking with troubles and pains, because of dezenerative changes in my knies, no real help because of my age.

Dear Jennie please, don't be angry with me and try please to understand me.

I would be happy to see you after so many years, but at a moment it wouldn't be possible – probably after a holidays in 2004. Once more please try to understand me and my family, we lived for more than 10 years with war and its consequences in all aspects of our life so we have no energy to speak more about it.

Nevertheless I love you and wish you all the best, also for your family   your old friend   mum

Onthutsend antwoorden

Zagreb, voorjaar 2004

Dear Jennie,

Hartelijk dank voor je lieve brief. Het is zo lang geleden dat ik nog eens van je hoor-de. Waar haal jij toch die energie om zo bezig te blijven? Je hebt het allicht al begre-pen, ik ben doodop. Ik begrijp je wens wel om mensen te ontmoeten, maar eerlijk gezegd ik kan je niet meer helpen. Dit om verschillende redenen.

Al die vrouwen die ik geholpen heb en waar ik zoveel contact mee had tijdens de oorlog, zijn vertrokken uit Zagreb. De laatste vluchtelinge is twee maanden geleden met haar familie naar Vukovar verhuisd. Eén leeft nog in een appartement buiten Zagreb, maar de meeste zijn zomaar vertrokken, zonder enig teken van leven te geven, zonder iets tegen me te vertellen. Ik heb geen adres, geen telefoonnummer. En dat ontgoochelt me meer dan ik kan zeggen.

Ook mijn persoonlijke situatie is niet meer goed. Door de pijn in mijn knieën heb ik moeite met lopen. Natuurlijk heeft het ook met mijn leeftijd te maken.

En dan vooral dit, na al die jaren ontbreekt me de moed om nog met vluchtelin-gen te praten, vooral de vluchtelingen uit Bosnië-Herzegovina. Er zijn er nu veel die zelfs na de oorlog toch nog uit Bosnië naar hier komen, maar daar is toch geen reden meer voor? Ze komen met valse papieren en willen niet werken. Ik kan daar niet tegen...

My Dear,
Please, wees niet boos en probeer me te begrijpen. Ik zou heel blij zijn om je na al die jaren terug te zien, maar het is voor mij niet mogelijk. Ik kan het niet meer. Of misschien nadat ik wat vakantie heb genomen.

Nog eens, please, probeer me te begrijpen. Ikzelf en mijn familie, we leefden meer dan tien jaar met oorlog of de gevolgen ervan. De consequenties van die oorlog had-den veel impact op ons leven. We hebben de energie niet meer om daar nu nog over te spreken.

Hoe dan ook, ik hou heel veel van je en wens je het allerbeste, ook voor je familie.
Je oude vriendin,
Mum

Zagreb, July 2004

My dear Jennie,

Bedankt voor je brief. Ik ben altijd blij als ik iets van je hoor.
Natuurlijk mag je de woorden van mijn vorige brief in je boek gebruiken.
Misschien kan ik eens kort uitleggen waarom ik zo ontgoocheld ben.
De oorlog is voorbij, het zou veel beter moeten gaan. Maar ik ken zoveel jongeren die
zonder werk zitten. Heel wat mensen uit Bosnië komen nu naar hier, omdat het
hier al bij al economisch toch beter gaat. Ze vragen om een huis of appartement,
waardoor de prijzen fel omhoog gaan en voor ons onbetaalbaar worden.

Ik ben absoluut niet tegen vluchtelingen, je weet wat ik tijdens de oorlog heb ge-
daan, maar ik ben er wel tegen dat ze hun eigen lot niet in handen nemen en naar
hier komen en bijvoorbeeld een ongelooflijke zwarte markt uitbouwen.
Ik ben echt diep, diep ongelukkig. Die oorlog heeft mij, mijn familie en mijn vrien-
den zo aangetast.

My dear friend, I wish you and all your loved, all the best possible.
I love you,

Mum/Dunka Markovicc

Kroatië

*Een vreemd weerzien met Hrvojka (uiterst links), Visnja (tweede van rechts) en
Ana (uiterst rechts)*

Het trieste verhaal van Visnja

Na een sober ontbijt – hotel Dubrovnik is nog steeds een staatshotel dat zich niet tot copieuze ontbijten laat verleiden – , ga ik even op de grote markt van Zagreb wandelen. De zon schijnt, alles ziet er rustig en vredig uit, zelfs de oudere vrouwen in hun donkere dikke jassen die bedremmeld bedelen, alsof ze zich schamen. Uit grote plastic tassen diepen ze handwerkjes op. 'Handgemaakt,' prijzen ze hun waar aan. Ik kijk de andere kant op en haat mezelf erom. Heel mijn interieur ligt namelijk vol handwerkjes in alle mogelijke kleuren en ingenieuze steken. Bovendien moet ik met dergelijke geschenkjes niet meer bij familie en vrienden aankomen. Nu al merk ik dat er net voor mijn aangekondigd bezoek hier en daar vlug wat gehaakte versiersels worden opgediept. Het is geen excuus, ik weet het.

Oudere mannen staan in groepjes te praten of gewoon te kijken, hun jassen tot op de draad versleten. Bedelaars en armoede hebben blijkbaar de plaats ingenomen van de schichtige vluchtelingen die meer dan tien jaar geleden het straatbeeld bepaalden.

Om 10 uur heb ik een afspraak met Visnja in de lounge van het hotel, waar zakenlui hun aktetassen ongeduldig laten klikken en poetsvrouwen zich verontschuldigend een weg borstelen.

Visnja is veranderd. Vooral haar leven is veranderd. Ik bewonderde Visnja. Haar levenswijsheid sprak me aan. Door haar studies 'history' aan een Amerikaanse universiteit spreekt ze niet alleen vloeiend Engels, maar kent zowat de namen en data van elke gebeurtenis die ingrijpend was voor mensheid. Tot voor kort was ze hoofdredacteur en uitgever bij een grote uitgeverij van kunst- en geschiedenisboeken in Zagreb.

Nu is Visnja grauw en grijs geworden. Ze moet al een paar jaar met een schamel pensioen rondkomen. Ook haar echtgenoot, Dinko, een vooraanstaande professor in de havenbouwarchitectuur, heeft al vier jaar geen werk meer. De situatie weegt zwaar op Visnja en Dinko. Het eens zo harmonieuze koppel heeft momenteel een wrange verhouding.

Visnja zit diep in de kussens van de zetels teruggetrokken. Alsof ze wat gegeneerd is voor haar toestand. Voor de metamorfose van belangrijk naar onbelangrijk. Voor het gevoel van zoveel geloof in de mensheid dat ongeloof geworden is.

Een paar keer heb ik Visnja naar New York en Washington vergezeld om er tijdens de Balkanoorlog over vrede te praten. Ze was toen bij alle internationale instanties een graag geziene gastspreekster en imponeerde vriend en vijand met haar scherpe analyses en haar inzicht in een oorlog die een misdaad tegen de mensheid was. Visnja had besloten dat de wereld de waarheid moest horen en dat zij de persoon was die dat kon uitdragen.

'Weet je nog, Visnja, toen we in Washington met de Bosnische ambassadeur Sacirbey zaten te praten?', zet ik het gesprek in.

Net op die avond en op het moment dat we met de ambassadeur praatten, kwam het bericht binnen van een granaataanval op de markt van Sarajevo. Het was vijf februari 1994. Meer dan zestig mensen lieten het leven. Een huiveringwekkende anekdote, die Visnja en mij bindt.

'Pfff, Sacirbey, ook al een oorlogsmisdadiger,' antwoordt Visnja kort. Ze wil er verder niet op ingaan. De oorlog heeft haar in meer dan één opzicht ontgoocheld.

'De oorlog heeft me kapot gemaakt. Hij heeft ons allemaal kapot gemaakt. Dinko, mijn echtgenoot, zit zonder werk. Hij is nu zestig, men heeft hem niet meer nodig. Kan je je dat voorstellen, een man met zoveel kennis? Onze activiteiten hebben zich nu noodgedwongen tot familiale aangelegenheden beperkt. Hoewel het ons veel vreugde verschaft. Ik zorg graag voor mijn kleinkinderen. Ik ga nu wekelijks het appartement van mijn dochter poetsen. Dinko en ik, wij maken ons dienstbaar, er blijft trouwens niet veel anders over. Alleszins geen geld. We kunnen met moeite onze tramtickets betalen.

Mijn grootste probleem is echter mijn schuldgevoel. Dat immense schuldgevoel tegenover mijn familie en vooral tegenover mijn zoon Luka. Tijdens de oorlog heb ik me zo fervent voor vrede ingezet. Wat is er overgebleven? Ontreddering, de problemen met Luka, mijn diepe ontgoocheling in de politiek. De trots voor mijn vaderland is er misschien nog, maar voor mij kleeft er teveel bloed en tranen aan. Tijdens de oorlog ging ik elke dag werken. Zoveel boeken moesten we niet uitgeven, maar ik was er. Bereidde de nieuwe geschiedenis voor. We poetsten onze symbolen op. Met mooie kleurenfoto's zou onze onafhankelijkheid er beeldig uitzien. Na het werk, in het weekend en op al mijn vrije dagen ging ik naar hulporganisaties. Ik stelde dossiers samen. We organiseerden, vergaderden, reisden. Ik had het zo verschrikkelijk druk.'

Zomer 1995
Visnja zat in haar bureau over films gebogen. Maya, haar assistente, had haar de laatste proeven gebracht. Ze zouden het zoveelste boek over de Kroatische martelarenstad Vukovar uitgeven. Met een vergrootglas keek Visnja naar de

duif op de cover. Stond het beeld scherp genoeg? Meer rood? Meer blauw misschien? De hitte zinderde. Zweetparels vormden een kringetje boven haar lippen. Ze zette het raam iets verder open. De straatgeruchten klonken precies iets luider. Ergens speelden kinderen onbekommerd. Toen ging de telefoon.

'*Molim?*'

'Direct naar het ziekenhuis komen. Luka heeft een heel zwaar auto-ongeval gehad,' zei iemand aan de telefoon.

'Zwaar? Wat bedoel je, hoe zwaar?', vroeg Visnja vertwijfeld.

'Direct komen,' klonk het beslist aan de andere kant. Visnja bleef een tijdje verwonderd met de hoorn in haar hand staan. Luka? Haar zoon Luka? Een ongeval? Ze riep Maya, gaf wat instructies en raasde weg.

Luka was een zachte jongen van 20 jaar, hij studeerde filosofie. Een schitterende student met een hoopvolle toekomst. Mama's lieveling, altijd al geweest.

Visnja nam tram na tram en kwam hijgend in het ziekenhuis aangelopen. Dinko was er al en ving meteen zijn vrouw op.

Luka lag al op de operatietafel. De dokters konden zich voorlopig niet uitspreken.

Een auto had Luka aangereden. Men vreesde het ergste. Zijn benen waren verbrijzeld.

Visnja: 'Het was vreselijk. Een dronken chauffeur was in volle snelheid de stoep opgereden, recht op Luka af die net boodschappen deed. Luka had de auto niet eens gehoord of gezien. Hij werd genadeloos weggemaaid. Luka, mijn lieve, lieve Luka. Ik wou hem niet verliezen. Dinko en ik zaten in die witte, steriele gang vlak voor de operatiezaal. Je bekijkt dan elke dokter, elke verpleegster die binnen of buiten die klapdeur komt. Je speurt hun gezicht af. Als ze lachen ben je al iets meer gerustgesteld. Ze zullen toch niet lachen als er daar binnen vreselijke dingen gebeuren, denk je dan. Het duurde misschien niet lang, maar voor ons duurde het eeuwen vooraleer de dokter buitenkwam en op ons toeliep. Hij gaf een bemoedigend knikje. Toen wist ik dat Luka het zou halen, dat alles goed zou aflopen. Een minuut later keek ik al op mijn uurwerk, want ik had nog wat te doen: een dringende afspraak bij een hulporganisatie waar vrouwen op me wachtten. Weg die allesomvattende angst. Weg die hopeloosheid. Nadat Luka eindelijk spierwit en nog onder narcose op een kamer werd gereden, liet ik hem al aan Dinko over.'

'Dinko,' zei ik, 'ik ben een uurtje weg, vóór Luka wakker wordt, ben ik terug.'

'Er was veel werk, de oorlog in Bosnië was nog in volle gang. En Luka zou het halen.'

'Luka haalde het, zelfs zijn benen herstelden wondergoed. Al duurde het een jaar vooraleer de revalidatie kon worden stopgezet. Daarna wilde Luka opnieuw naar buiten, naar zijn vrienden, naar de universiteit, naar de boekwinkels, naar de mensen in de straat. Naar zelfstandig rondlopen vooral, zonder hulp en zonder krukken. Maar na een eerste uitstap schrok de straat hem af. Terwijl hij in zijn hoofd rijmen en sonnetten schreef, voelde hij een vreemde angst rond zijn hart sluipen. Hij werd paranoïde, hij was er zeker van dat hij werd gevolgd, dat zijn ongeval geen toeval was. Men viseerde hem. Verleden week kreeg hij een vaag vermoeden, vandaag was hij absoluut zeker. "Men zoekt me!" Hij durfde niet om te kijken, maar op enkele passen voelde hij iemand naderen. Aan een groot uitstalraam bleef hij staan en probeerde via de ruit naar zijn achtervolgers te kijken. Alle voetgangers liepen ongeïnteresseerd voorbij. Luka taxeerde, ontleedde: die of die misschien? Allemaal met slechte bedoelingen, dat was hij zeker. Hij liep naar huis, viel hijgend in de armen van zijn vader.

"Papa, ze achtervolgen me."

"Wie? Wie achtervolgt je Luka?"

"Ik weet het niet, misschien Serviërs?"

Dinko verzekerde zijn zoon dat hij spoken zag. Luka bleef enkele weken binnen. Op den duur werd hij hoorndol van het binnen zitten en ging tenslotte opnieuw naar buiten. Nu wist hij het zeker: die auto daar... dat zwart punt aan het raam, dat was de loop van een geweer. Ze zouden hem deze keer niet aanrijden, maar meteen vanuit een auto doodschieten. Hij spurtte naar een winkel. Liep naar binnen en bleef hijgend achter de deur staan. Hij zag de auto langzaam voorbijrijden.

Dat ze hem niet eens bekeken, dat ze zelfs niet eens in hem geïnteresseerd waren, merkte hij niet op. Zijn fantasie zag op den duur enkel nog criminelen. "Waarom moeten ze mij hebben?", vroeg hij zich af. "Waarom precies mij? Misschien door mijn moeder? Misschien zijn het geen Serviërs, maar Kroaten."

Zijn moeder was overal bekend, ze liep met haar vredesgedachten in binnen- en buitenland te koop.

'Mama, het is door jou dat ze mij zoeken, ze willen zich op mij wreken,' vertelde hij Visnja op een avond als hij opnieuw buiten adem thuiskwam.

Visnja maakte zich kwaad.

'Kom Luka, doe niet zo flauw. Ik heb andere dingen aan mijn hoofd!'

Dat niemand hem wilde geloven, ergerde Luka.

Visnja: 'Op den duur bleef Luka thuis. Hij durfde echt niet meer naar buiten, zelfs niet meer naar de universiteit. Hoe we ook smeekten. Hij was voor geen rede vatbaar. Dinko ging mee, ik ging mee. Maar zodra hij alleen weg moest, weigerde hij naar buiten te gaan. Hij trok zich terug, zette zijn geestelijke nood in mooie verzen om. Allemaal toonden we ons heel opgetogen over zijn talent. En ik moet eerlijk toegeven, zijn poëzie was beklijvend en prachtig. Daarom bekommerden zijn dwanggedachten mij niet zo, ze ergerden me alleen maar. Ach, artiesten, dacht ik, en ik was er zeker van dat eenmaal de oorlog voorbij zou zijn, eenmaal de rust in ons land zou zijn teruggekeerd, het wel zou overgaan. De oorlog verstoorde het inschattingsvermogen van zoveel mensen, hé. En elke dag die meedogenloze beelden op de televisie.'

Februari 1997
De Balkanoorlog was een jaar en enkele maanden achter de rug.

Visnja: 'Ik werd door een Japanse vrouwenorganisatie uitgenodigd om in Tokio over duurzame vrede te spreken. Als een prinses werd ik ontvangen, mijn logement was prima. En toch, om de een of andere reden was ik heel onrustig. Het congres duurde enkele dagen, maar om een onverklaarbare reden verlangde ik na de tweede dag al terug naar huis. De naweeën van de oorlog begonnen echt in mijn kleren te zitten. Op een nacht kreeg ik een vreemde droom. Ik zag Luka over straat lopen, hij viel, hij bloedde hevig. Badend in het zweet werd ik wakker en belde meteen naar huis.

"Hoe gaat het met Luka?", vroeg ik, "Dinko, roep Luka aan de telefoon."

"Luka is er niet," zei Dinko, "hij is bij een vriend."

"Bij een vriend? Welke vriend?", vroeg ik verwonderd.

"Maar laat die jongen toch," zei Dinko streng. Zo op een toon van: als je niet thuis kunt blijven, bemoei je dan niet. Ik was kwaad, maar toch gerustgesteld en ging weer slapen. Toen ik tien dagen later thuiskwam, stond Dinko me op te wachten.

"Ik moet je iets zeggen," zei hij. Ik zag meteen dat het erg was.

"Luka," zei hij, "het is Luka!"

"Zie je wel," schreeuwde ik. Luka lag in het ziekenhuis. Hij had zelfmoord willen plegen. Een overdosis pillen. Dinko had hem gevonden. Op het randje. Hij was helemaal verdoofd en versuft. God, mijn Luka. Lijkbleek lag hij daar in het ziekenhuisbed, hij keek me heel gelaten aan. "Waarom Luka?" vroeg ik. Hij wou niet met me praten en maakte een handgebaar: "Ga weg jij!" Op dat moment ben ik gestorven. Sindsdien is het schuldgevoel niet meer uit mijn hart geweken. Dezelfde avond heb ik aan alle organisaties en aan iedereen die mijn aandacht had opgeëist, een brief geschreven:

"Beste, reken niet meer op mij. Ik bied u allen mijn ontslag aan, ik kan niet meer!"

Ik had me tot dusver voor anderen ingezet en niet gezien dat mijn eigen zoon me zo nodig had. De geneeskunde had zich steeds over zijn benen gebogen, maar de dokters waren vergeten naar zijn hoofd te kijken. Nu nog, na al die jaren, blijft Luka meestal thuis. Hij schrijft poëzie en kinderverhalen. Met weinig succes, want niemand heeft geld om boeken te kopen. Maar ik ben bij hem. Ik waak over hem als een engelbewaarder, probeer hem nu te geven wat ik hem toen niet gegeven heb: aandacht.'

Voorzichtig slurpt Visnja aan haar Turkse koffie. Ik durf haar niet te zeggen hoe erg ik het voor haar vind. Ik durf haar niet te zeggen hoe geschrokken ik ben van die nieuwe Visnja. Zij, die rots in de branding, zij die inzicht had, die alles wist.

Visnja: 'Ik wist helemaal niks, realiseer ik me nu. Nog altijd niet. In 1993 kwam de paus naar Zagreb, het was voor ons precies een verschijning. "Vergeven," zei hij. "Vergiffenis schenken, dat is gelovig zijn." We gingen naar huis, we zouden vergeven. Maar ik kan niet vergeven. Het werd ons opgedrongen, we hebben het een tijdje geloofd, maar hoe kan je vergeven als je dag na dag geconfronteerd wordt met oorlog en de gevolgen ervan? En ook de politiek heeft me ontgoocheld. Wat is er van mijn gevecht voor de waarheid overgebleven? Ooit zal de geschiedenis wel de waarheid schrijven over die vier jaar oorlog. Een deel van de schuldigen staat in Den Haag terecht. Een deel. En de toekomst? Ik, wij, een toekomst? Komaan zeg.'

Het is de allereerste keer sinds ik haar ken dat ik Visnja zie huilen, ze verbergt even haar gezicht en wrijft dan over haar ogen. Het nijpt in mijn hart.

'Visnja,' zeg ik en leg mijn hand op haar dij, 'toe, niet huilen.'

Visnja: 'Ik ben dat theater zo beu, alles is en was theater: de oorlog, de Dayton-akkoorden, alles. En wij, wij waren de marionetten, de machteloze pionnen. Ik zal nooit meer dezelfde zijn, er is nog teveel haat in mij.'

We drinken nog een koffie en nog één en nog één. Ik durf geen vraag meer te stellen en ben blij als Visnja zich even in de toiletten afzondert. De lucht is te zwaar geworden. Alsof er niks gebeurd is, komt ze terug, opgewekt. Ze steekt lachend een hand naar me uit.

'Kom, we gaan er op uit. Ik zal je ons nationaal museum laten zien.'

'Het nationaal museum?', vraag ik verwonderd.

'Je moet het eens zien,' zegt ze.

Ik weet niet eens of het cynisch bedoeld is. Een museum van een land dat met zijn geschiedenis worstelt, interesseert me eigenlijk niet. Ik durf niet te protesteren en laat me gewillig begeleiden. Eerst gaan we naar een boekenwinkel op de grote markt van Zagreb.

Toen Visnja nog uitgever was, heeft ze twee boekjes van haar zoon Luka uitgegeven.

Een dichtbundel en een sprookjesboek. Dat laatste met nogal agressieve tekeningen.

'Mooi verhaal,' wijst Visnja, 'ongelooflijk mooi en zie je die tekeningen? Een monster dat moet verslagen worden.'

'Ziet er heel interessant uit.'

Over de tekeningen kan ik oordelen, over de tekst niet. Ik koop beide boekjes en Visnja kijkt me dankbaar aan.

'Aan Luka vertel ik dat zijn boeken internationale aandacht krijgen,' zegt Visnja.

Zagreb is een stad in twee verdiepingen. Het bovenste gedeelte kan je onder andere bereiken met een lift. Visnja wil met de lift naar boven, die pas vertrekt als er volk genoeg aan boord is. Er stapt een oude, grijze man op, wit hemd, zwart kostuum, zwarte bolhoed en wandelstok. Hij doet aan een ver verleden denken, aan Habsburgse invloeden en vertellingen. Zelfs Sissi stapt wat later in de lift. Een mooi meisje met lange donkerblonde krullen. Net heeft ze zich neergezet of haar gsm rinkelt.

Weg dagdromen.

De vooravond van mijn vertrek drink ik met Visnja een laatste glas. Visnja is doodop en wat verward. Een paar uur geleden heeft ze met Dinko stevig ruzie gemaakt. Morgenvoormiddag wordt hun kleinzoon, Simon, gedoopt.

'Misschien betekent dit nieuw leven het einde van die tien jaar ellende die we achter de rug hebben,' zegt Visnja, nooit wars van enige symboliek. Maar de ruzie met Dinko ligt haar nu zwaar op het hart.

Als een voorbeeldige oma heeft ze de feesttaarten gebakken. Helaas, allemaal mislukt. Er was geen tijd om het nog eens over te doen. Morgen geen taarten dus.

'Je bent een warhoofd, je werkt absoluut zonder planning,' had Dinko haar verweten.

'En jij,' had ze hem hard van repliek gediend, 'had jij een planning gehad, dan zat je nu niet thuis, dan was je geen vier jaar werkloos!'

'En nu heb ik spijt van die wrede uitspraak, dat verdient hij niet,' zegt Visnja.

Ik dring aan dat ze direct naar huis gaat en beloof morgen naar de kerk te komen om het doopfeest mee te maken.

's Anderendaags koop ik op het Bloemenplein in het centrum van Zagreb twee ruikers bloemen. Eén voor de mama en één voor die lieve geteisterde oma die meer dan een decennium geleden zo indringend in mijn leven kwam.

Er zit veel volk in de kerk. Visnja zit trots naast haar Dinko en ik zie hoe ze nu en dan haar hand op zijn arm legt. De ruzie is blijkbaar bijgelegd. Luka zit ook in de kerk en houdt zijn petekind voortdurend in het oog. Hij is trots op zijn nieuwe taak.

De jonge priester eindigt de ceremonie door heel nadrukkelijk over *ljubavi* te praten. Ljubavi is één van de weinige Servo-Kroatische woorden die ik begrijp. Ljubavi betekent liefde.

En liefde is er gelukkig ook nog.

Een paar weken voor het verschijnen van dit boek liet Visnja me weten dat Dinko een nieuwe opdracht heef gekregen. Hij moet een havenproject uittekenen. Visnja zelf krijgt momenteel stapels en stapels vertalingen te verwerken. En Luka? Luka schrijft verder mooie poëzie.

Gordana, nog steeds een vreemde

'Gordana, kan ik je ontmoeten?'

We spreken af in een klein café, niet ver van het Kroatische televisiegebouw in Zagreb. Haar tijd is afgemeten, maar het weerzien bijzonder hartelijk. Gordana komt met open armen op me toe. Jaren geleden heb ik haar als oorlogsvluchtelinge gekend, nu moet ik moeite doen om haar in die magere figuur met ingevallen wangen te herkennen.

'Hello, hello!' zingt ze verheugd en zoent me hartelijk. 'Welcome, good to see you.'

Gordana is 48 en heeft borstkanker overwonnen. 'Of dat hoop ik toch,' zegt ze.

Gordana komt uit Sarajevo en woont sinds 1992 in de Kroatische hoofdstad Zagreb. In een klein huurappartement woont ze met haar twintigjarige dochter Leah, en nu ook met haar echtgenoot, Nura, die haar pas in 1997 heeft vervoegd en die ze eigenlijk met moeite verdraagt. Gordana is assistent-muziekproducer bij de Kroatische televisie. Voor de oorlog was ze muziekproducer bij de televisie in Sarajevo. Iedereen die zingt, snaren of toetsen bespeelt, kent Gordana. Alom wordt ze gerespecteerd en gewaardeerd. Maar haar eigen zelfbeeld is wankel. De oorlog en haar ervaringen zijn daar schatplichtig aan.

'Iedere dag denk ik eraan, nooit kan ik dat nog vergeten. Ik zal het ook nooit vergeven!'

Voorjaar 1992
Gordana woonde aan een grote avenue in Sarajevo, in een eigen ruim huis samen met haar man en haar zevenjarige dochter Leah. Gordana hield van haar culturele stad, het was haar biotoop, haar nest. Maar oorlog veranderde de bruisende stad in een explosieve poel van haat. Sarajevo kreunde onder granaten en kogels. Vrouwen en meisjes werden het slachtoffer van massale verkrachtingen. Sarajevo was een hel geworden. Gordana voelde de catastrofe naderen.

Gordana: 'Via connecties, wat soms het voordeel van mijn beroep als mediamens is, had ik mijn dochtertje Leah met het vliegtuig naar Zwitserland gestuurd waar familie van mij woont. Die vlucht naar Zwitserland was een van de laatste normale vluchten die van het vliegveld van Sarajevo vertrokken. Even geluk gehad. Daarna ging ik elke dag werken met in mijn handtas een tandenborstel, parfum en een verse onderbroek. Ooit kom ik niet meer thuis, dacht ik altijd. Mei '92 ging ik zoals steeds naar huis en stond plots voor een barricade. Serviërs hielden ons tegen. Dat ik een bekende tv-producer was, maakte op hen geen enkele indruk. Zo zie je maar, bekendheid geeft geen garanties. Een goede levensles. Dat ik de moeder van een kleine dochter was, kon hen nog minder vermurwen. Uitdagend stonden ze daar met hun kalasjnikovs. Over de anders zo drukke straat hadden ze prikkeldraad getrokken. Er was geen ontkomen aan. Ondertussen kwamen er steeds meer mensen bij. Ze dreven ons als koeien bij elkaar.

Eén van de soldaten, een slordige gast – om de een of andere reden maakten de Servische soldaten altijd zo'n verfrommelde indruk – maakte obscene gebaren naar me. Hij stak zijn middenvinger omhoog en schudde toen zijn kont voor- en achteruit. Alsof hij me wou verkrachten. Nochtans ben ik niet zo rap bang, maar toen sloeg ik toch in paniek. Mijn handen trilden, het was alsof mijn lichaam in elkaar klakte, het ontbrak me aan lucht, mijn hart klopte luider dan de geluiden in de omgeving. Iemand zei iets tegen me, ik verstond het niet.

Uiteindelijk moest ik samen met alle andere mensen op een vrachtwagen stappen. Een paar soldaten maakten de straat vrij en we moesten doorrijden: naar een school aan de rand van de stad, een school die als vluchtelingenkamp was geïnstalleerd. Of zou geïnstalleerd worden, er was nog niks. Nura, mijn man, zat in ons huis en was onbereikbaar. Ik vraag me af hoe zoiets nu zou verlopen, nu iedereen een gsm op zak heeft.

Met andere vluchtelingen die ook waren meegenomen, hebben we de dag nadien al een exodus gepland. Er was omzeggens geen bewaking in dat gebouw. Een paar jonge gastjes. Bovendien was er in Sarajevo heel wat herrie en heel wat diplomatiek heen en weer geloop. Bemiddelaar Cyrus Vance was er op bezoek. We hoopten dat ze daarom niet op ons zouden letten. Ik wilde naar Kroatië, Zagreb, waar het ondertussen rustiger was. Zeker niet naar een ver buitenland, ik wilde dicht bij mijn land blijven, dicht bij ons huis. Ik kan niet genoeg benadrukken hoe goed ik me tot dan toe gevoeld had in Sarajevo.

Met een karavaan van tien auto's zijn we vertrokken. Niet iedereen die aan de barricade was opgepakt, wilde mee. Wel mensen uit de omgeving van de school, ze vreesden voor wat komen zou. En die hadden auto's, wat onze vlucht makkelijk moest maken. In één van de auto's heb ik op de achterbank plaatsgenomen. We reden ontzettend snel. Normaal ben ik altijd wagenziek, maar daar dacht ik toen niet aan. Zoals iedereen speurde ik naar elke beweging op straat. Zelfs een overstekende kat zette ons aan het roepen. We vermeden hoofdwegen, het werd een echte helletocht die helaas voor sommigen slecht afliep. Plots stonden ze daar, aan de kant van de weg, alsof ze ons opwachtten. De chauffeur van de eerste wagen gaf meteen voluit gas, de anderen volgden. Zo konden de eerste acht auto's ontsnappen. Ik zat in de vierde. Daarna was het afgelopen met ontsnappen. De volgende auto's werden tegengehouden. Nadien heb ik gehoord dat ze sommige inzittenden zomaar de keel hebben overgesneden en aan de kant van de weg achtergelaten. Anderen zijn opgepakt en God weet waar ze gebleven zijn. Daar heb ik echt geen nieuws meer over. Was dat even geluk hebben? Ik ben een kat met zeven levens.'

Gordana kwam uiteindelijk als vluchtelinge in Zagreb aan en kreeg een plaats toegewezen. Waar haar bestaan als voorwerp kon beginnen. Om acht uur het ontbijt in een grote refter, om 12 uur met het plastic schoteltje de maaltijd in de gaarkeuken afhalen. Om achttien uur de melk en het brood. Daartussen de verveling, de beklemmende eenzaamheid tussen al die vreemde lotgenoten, de schaarse telefoons aan haar dochter in Zwitserland en de ergernis omdat haar man weigerde uit Sarajevo weg te gaan en naar haar toe te komen.

Gordana: 'Mijn man en ik hadden misschien samen naar Zwitserland kunnen gaan! Hij weigerde. "Ik zorg voor ons huis," zei hij. Ik leefde in hachelijke omstandigheden, hij onder oorlogsdreiging. Waarom zo ver uit elkaar? Hij werkte vroeger als huisschilder, maar raakte zijn werk kwijt. Ik weet niet eens van wat hij daar overleefde, wel weet ik dat hij bij het leger ging. Leger, zeg ik nu, maar eigenlijk waren dat ongeregelde milities, onder leiding van doorgedraaide commandanten. Een ding is zeker, veel mannen die in het leger waren, van welke nationaliteit ook, hebben vreselijke dingen uitgespookt. Mijn man ook? Dat is een vraag waar heel wat vrouwen mee worstelen: ze vragen zich hopeloos en wat beschaamd af wat hun mannen of zonen misdaan hebben.

Uiteindelijk ben ik gaan solliciteren bij de Kroatische televisie. In oorlogstijden heeft men het daar bijzonder druk nietwaar. Voor muziek of entertainment kon men me niet gebruiken, maar door mijn kennis van camerawerk mocht ik daar soms wat monteren. Ik werd zo goed als niks betaald, maar voor mij was het heel belangrijk te ontsnappen uit de hel van het vluchtelingenkamp.'

1997
Leah was al een tijdje terug bij haar mama. Gordana had een paar kamers gehuurd en daar leefden ze knus met elkaar. Leah studeerde, Gordana werkte.

Hard, heel hard. Nura belde regelmatig. De afstand tot zijn vrouw Gordana was groot geworden, maar hij vroeg steevast naar zijn dochter.

'En hoe gaat het met je Leah? Mis je je papa niet?'

'Natuurlijk,' zei Leah en vertelde honderd uit over hun leven in Zagreb. Op een dag stond Nura voor de deur. Met pak en zak.

'Je bent mijn vrouw, ik wil opnieuw samenleven,' zei hij en vermeed andere commentaar. Gordana wilde echter uitleg over die afwezige jaren, ze wilde dat hij elders ging wonen. Nura sprak niet en week niet. Hij sliep op de grond, op de sofa, overal waar hij zich kon uitstrekken, behalve naast Gordana.

Gordana: 'Ik was razend. Ons huis én onze inboedel in Sarajevo waren door bombardementen vernietigd. Nura had dus allang geen reden meer om daar te blijven. Ik weet zeker dat hij in Sarajevo andere vrouwen gekend heeft en toen hij niet meer wist hoe de eindjes aan elkaar te knopen, stond hij opnieuw voor mijn deur. Nura was voor mij een vreemde man geworden, een lafaard die me in de steek had gelaten op het moment dat ik hem erg nodig had. Maar ja, Leah was zo content. Nu had ze opnieuw een mama én een papa. Uiteindelijk raak je wel weer aan elkaar gewoon, eet je samen, praat je samen. Ik hou echter niet meer van Nura en ik zal ook nooit meer van hem houden.

Vier jaar geleden kreeg ik daarenboven borstkanker. Ik had al een tijdje hoofdpijn, voelde me niet zo lekker. Het kan ook psychisch zijn, dacht ik. Bij een bezoek aan mijn gynaecologe werd een harde knobbel in mijn linkerborst vastgesteld. Het verdict was angstaanjagend: kanker. Vanaf het moment dat men zoiets meedeelt, overheerst die gedachte je denkvermogen, je leven. De rest valt in duigen. De zon, de bloemen, hebben geen betekenis meer, de verhalen van andere mensen ergeren. Het gezwel nam in mijn gedachten een onmetelijke omvang aan. Ik heb de lange weg van dokters, ziekenhuizen en nazorg afgelegd. Eerlijkheidshalve moet ik zeggen dat Nura zich toen heel verantwoordelijk en bezorgd heeft gedragen. Toen was ik wel een beetje blij dat hij terug was. Na al die jaren blijken de resultaten van de onderzoeken hoopgevend. Soms ben ik verwonderd dat ik opnieuw onbezorgd vrolijk kan zijn. Dat ik weer kan opgaan in mijn werk.'

Gordana is nu medeverantwoordelijk voor muziekprogramma's op televisie. Daar probeert ze trends en kwaliteit te verzoenen.

Gordana: 'Ik stuur er altijd op aan hedendaagse, internationale muziek te brengen en het lukt me niet altijd. Hier in Kroatië moet je goed uitkijken wat je doet en daarom wil ik die nationalistische gevoelens die er ontegensprekelijk zijn, geen voeding laten geven door muziek. Ik zie ze al staan, die oude Kroatische knarren, hun grijze snor opgekruld en stampvoetend het ene nationale lied na het andere aanheffen.'

We lachen hartelijk om het beeld en besluiten nog een glas wijn te drinken.

'Nationale wijn,' gekt Gordana.

Terwijl ik een gulzige slok neem, nipt Gordana voorzichtig. Ze houdt zich aan strikte regels om haar gezondheid te vrijwaren. Haar soberheid beïnvloedt ons gesprek niet. Ze vertelt over haar dochter die rechten studeert en autorijlessen volgt. Over haar collega's die haar nog steeds als een 'vreemde', als een vluchtelinge uit een ander land, beschouwen. Over vrienden...

Gordana: 'Vrienden? Goede vrienden heb ik hier niet en weet je wat? Het stoort me zelfs niet. Ik wil hier geen vrienden. Want uiteindelijk is dit mijn land niet. Toch ga ik nooit meer terug naar Sarajevo, mijn hoofd weigert het huidige Sarajevo te aanvaarden. Al is Sarajevo blijkbaar aan de heropbouw bezig. Het is mijn stad niet meer. Ik dring er bij mijn familie altijd op aan dat ze me hier bezoeken, zodat ik niet naar ginder moet. Milosevic verpestte gedurende meer dan tien jaar mijn leven. Het Westen keek toe, natuurlijk waren er kleine groepen die ons hielpen, maar we werden ook erg vernederd. Weet je, zolang ik onder nul sta, zal ik bitter zijn. Met "onder nul" bedoel ik: in Sarajevo hadden we ons eigen huis, ik had een man die zich behoorlijk gedroeg en waarvan ik hield, ik had werk en werd als Bosnische enorm gerespecteerd. Nu leef ik op een schamel huurappartement, mijn man verdraag ik amper, op mijn werk verdragen ze mij. Ik troost mezelf met de gedachte dat je misschien alles kan verliezen, maar nooit je kennis, nooit je ziel. En de toestand is verre van opgelost. Morgen kan er zo een nieuw conflict uitbreken. In Bosnië zijn de Kroaten een minderheid, maar ze reageren alsof ze een grote meerderheid zijn. Dat is een probleem. Laat ons over andere dingen praten. Ik ben zo blij om je terug te zien.'

De schuldvraag van Shenida

Twijfel vult mijn hart als ik die vrouw voor me zie staan. Is dat Shenida? Haar huid plakt aan haar botten, haar wangen zijn twee ingevallen kuilen, haar blonde haren zijn niks meer dan enkele toppen van een uitgegroeide donkere, vettige massa. Ooit zou Shenida in haar eentje de oorlog stoppen. Ze was er heilig van overtuigd. Ze voelde zich geroepen. De grootste gave van heiligen is overtuiging: 'gij zult genezen, gij zult lopen, een beter mens worden en uw medemens geen kwaad aandoen.'

Shenida bleek niet heilig en kon de oorlog niet laten ophouden. Ze heeft integendeel zichzelf en haar familie met haar documentaires in een heel precaire positie gebracht. Er zijn nog weinig plaatsen waar ze welkom is.

Shenida ziet er vandaag, nu ze hier voor me zit, schichtig en verwaarloosd uit. Haar glimlach ligt in een droeve diepte. Weg de blonde schoonheid die deuren liet opengaan, weg de idealist die dacht met aangrijpende beelden het geweld te doen stoppen. Ze is verslagen, ze heeft zichzelf verslagen.

Shenida is blij om me terug te zien. Ze klampt me meteen aan: 'Misschien kan je me helpen? Ik heb dringend hulp nodig.'

In 1982 kwam Shenida terug naar huis naar Pristina, Kosovo. Ze had net haar diploma van de Academie van Drama en Film van Zagreb op zak. Aan het nederige huis van haar ouders, aan de rand van Pristina, hingen bloemen om haar te verwelkomen. Haar vader glunderde: zo'n dochter die het ver zou schoppen! Haar broer reageerde wat jaloers: zo'n zus die hem zonder moeite voorbij zou steken. Haar moeder bakte een enorme taart om het heuglijke nieuws te vieren. Zelfs de buren waren uitgenodigd. Shenida en haar familie zijn Albanezen, zoals de overgrote meerderheid in Kosovo. De buren waren Serviërs, maar dat maakte toen nog geen uitgesproken verschil. De koffie smaakte heerlijk, de cake werd geprezen en Shenida kon aan haar toekomst beginnen.

Bij de staatstelevisie van Kosovo kreeg ze haar eigen programma. Dolenthousiast maakte ze reportages over en vooral voor vrouwen: een nieuw kapsel, een handig recept, make-up, buikpijn, de opvoeding van kinderen of het leven in Kosovo tout court. Ze bracht ook verslag uit over de etnische schermutselingen die steeds ingrijpender werden. Dit thema behandelde ze altijd voorzichtig, met enig evenwicht in nationalistische gevoelens. Shenida werd bekend in Pristina en bij kijkers daarbuiten.

Ze genoot ervan en maakte zich boos als een al te voortvarende eindredacteur haar teveel uit het beeld knipte.

En zoals het in sprookjes en sterren geschreven staat: Shenida trouwde en kreeg kinderen. Drie zonen. En zoals het ook al in de sterren stond: het werd steeds onrustiger in Kosovo. De jaren tachtig waren het toonbeeld van ongenoegen, betogingen, stakingen, de tegenstand was nooit uit de lucht. Milosevic, die eerst niet al te veel interesse had getoond voor Kosovo, kwam in april 1987 een menigte woedende Serviërs toespreken en verklaarde: 'Dit volk wordt door niemand meer geslagen.' De bijval en het applaus waren overweldigend. In 1989 werd de autonomie van Kosovo afgeschaft. De controle over politie en gerecht werd door Belgrado overgenomen. De Albanezen, die de absolute meerderheid vormden in Kosovo, kwamen massaal in opstand. Demonstraties van studenten, arbeiders, en een grote mijnwerkersstaking waren het gevolg.

De hongerstaking van Albanese mijnwerkers veroorzaakte nogal wat deining. Shenida ging naar haar baas, vroeg een camera en daalde af in de mijn waar de moedige kompels onverschrokken hun ongenoegen uitten. Drie dagen deelde ze hun lot, drie dagen filmde ze uitgehongerde vuile gezichten, drie dagen filmde ze hun onverbiddelijke weerstand.

Dan greep de overheid in. Met geweld werden de mijnwerkers uit de schachten gehaald. De roede werd niet gespaard. Sommige mijnwerkers waren totaal uitgeput en moesten worden weggedragen, andere waren er heel erg aan toe. In de verwarring lette niemand op de blonde journaliste met zwarte koolstrepen over het gezicht. Soldaten hadden haar wel met een camera gezien, maar niemand had bevel gegeven om die af te nemen. Shenida strompelde naar collega's die aan de ingang van de mijn stonden. 'Breng me naar de televisie, vlug.'

Haar baas had gemengde gevoelens tegenover haar avontuur, maar zond uiteindelijk de – weliswaar aangepaste – reportage uit. Buurlanden als Kroatië daarentegen schrapten niks. Het was de eerste aanleiding van een ongunstig verloop dat Shenida zou treffen.

Shenida: 'Natuurlijk was ik heel trots dat mijn reportage over de mijnwerkers zoveel bijval genoot. Ik was de enige die negenhonderd meter diep in de mijn was durven afdalen. De enige journalist die het aangedurfd had. Maar het verhaal nam helaas een andere wending. Mijn documentaire waar ik zo trots op was, kreeg een heel negatief gevolg. De film had twee kanten: een morele en immorele kant. Aan het publiek had ik getoond wat er zich precies in de mijnen had afgespeeld, maar ook de overheid had meegekeken. Op mijn film herkenden ze duidelijk de gezichten van de opstandige mijnwerkers die ongegeneerd hun gedacht hadden kunnen zeggen. Nadien werden er mijnwerkers aangehouden en gevangen gezet. Het merendeel van de mijnwerkers werd ontslagen en verloor zijn inkomen. Geen mijnwerker kon ontkennen dat hij erbij was, het stond op mijn film! Mijn reportage werd dus misbruikt. Mijn ouders reageerden beschaamd over hun dochter. Ik had niet alleen de Servische bevolking op de tenen getrapt, maar ook 'mijn' volk, de Albanezen, een slechte dienst bewezen.'

De sfeer rondom de eens zo bekende en bejubelde Shenida werd steeds maar grimmiger. Dat ze de waarheid had willen tonen, was geen valabele uitleg. Ook haar vader was mistevreden en stelde haar voor een tijdje weg te gaan. Hij werd bang. Op straat werd hij nageroepen, ze zouden hem wel vinden. Haar moeder kwam niet meer buiten. Shenida's echtgenoot keerde onder druk van zijn familie terug naar huis. Haar baas zette haar uiteindelijk aan de deur. Shenida stond met lege handen op straat. Een straat die haar heel vijandig gezind was.

Shenida: 'Groepjes mannen stonden me op te wachten, ze kwamen op me toe en bedreigden me. Het bleef gelukkig bij woorden, maar ik was diep gekwetst. Je kan die gebeurtenis niet losmaken van wat er in die dagen in Kosovo gebeurde, natuurlijk. Eind jaren tachtig, begin jaren negentig waren vreselijk onrustige en opstandige jaren. De regering was razend op me, ik moest meteen Kosovo verlaten. Uiteindelijk belde ik naar collega's van de Kroatische televisie en mocht daar beginnen. Ik gaf me over, ik gaf toe aan de druk en besloot een tijdje naar Kroatië te gaan. Voor mij heel pijnlijk. Ik moest niet alleen "mijn" Pristina verlaten, ik moest ook "mijn" drie kleine kinderen achterlaten bij mijn ouders. Het werd me vooral duidelijk welke invloed beelden op mensen hebben. Daarom ging ik geloven dat het mogelijk moest zijn, als je genoeg beelden toont, de oorlog in Kroatië te stoppen. Herinner je je dat nog?'

Ik herinner het me nog. Ana en ik waren in (1992) de Adriatische kuststad Split, we zouden de kleine Marija bezoeken. Het kind was amper zes jaar en meedogenloos verkracht, vernietigd voor het leven. In het ziekenhuis waren nog enkele verkrachte vrouwen opgenomen. En daar was ook Shenida.

'Ik ben Shenida Bilalli, filmproducer,' stelde ze zich voor. Ze had lange blonde haren die als een vloedgolf over haar schouders vielen, en door de felrode lippenstift die ze rond haar lippen had gemorst, leek haar mond immens groot. Shenida verbleef met haar cameraman, net als Ana en ik, een paar dagen bij Besa. Een huis dat in vredestijden een comfortabel bed en een lekker ontbijt aanbood, maar dat zich nu moest tevredenstellen met sporadisch bezoek dat zeker niet in de mooie stad Split of in de prachtige Adriatische kust was geinteresseerd, maar in verkrachtingen bijvoorbeeld. Veel tijd voor vriendschappelijke gesprekken was er niet. We hadden het allen zo druk.

Shenida vooral met het filmen van de tranen, de ontreddering, de loopgraven, de geweren en de gevolgen. Ze was bloednerveus en overtuigd van haar missie. 'Zaustavite ratove, zaustavite ratove (stop de oorlog),' herhaalde ze steeds, 'ik zal de mensen tonen welke ellende een oorlog brengt voor vrouwen en kinderen. Ze zullen schrikken. Dat verzeker ik je.' Men schrok inderdaad, maar het was geen reden om de oorlog te stoppen. De haat was te groot.

Shenida was twee jaar eerder, in 1990, in haar studentenstad Zagreb aangekomen. Oorlog lag toen nog in de toekomst. Voor de Kroatische televisie maakte Shenida kinderprogramma's. 'De tien geboden', een kindershow waarvoor Shenida zelf het scenario had geschreven. Wie Shenida goed kende, begreep in de ondertoon haar verlangen naar haar eigen kinderen die door haar ouders werden opgevoed.

Maar haar aandacht werd spoedig naar een ander onderwerp afgeleid. Ook in Kroatië werd de spanning te snijden. Kinderprogramma's werden op televisie minder populair en Shenida kreeg nieuwe opdrachten voor het 'Liberty' programma. Ze werd oorlogsreporter en op haar hoede voor het mijnwerkersavontuur dat ze in haar eigen land had meegemaakt, liet ze niet na om de nadruk te leggen op de schoonheid en gastvrijheid van haar gastland Kroatië.

Shenida: 'Ik heb de allereerste verkrachte vrouwen geïnterviewd. Eerst wou men niet geloven wat er gebeurde. Ik herinner me nog de scepsis over die verkrachte vrouwen. Internationaal ook. Er waren zelfs ontkenningen. Men noemde het oorlogspropaganda. De eerste vrouwen interviewde ik onherkenbaar, daarna mocht ik hun gezicht tonen. Het was toen niet moeilijk, de oorlog schreef het scenario, ik moest enkel met de slachtoffers praten.'

Iedere dag was Shenida met de camera op stap. Rusteloos en gekrenkt door wat ze zag. Vanaf 1992 werd ook Bosnië haar werkterrein.

Shenida: 'Het was mijn taak om te tonen wie gedood werd en wie doodde. Mijn documentaires haalden internationale zenders. Ik werd naar het buitenland uitgenodigd om over de oorlog te praten. In Oostenrijk werd ik heel goed ontvangen. Ik wilde echt die oorlog stoppen, maar mijn engagement hielp niet. Tijdens de oorlog heb ik 87 documentaires gemaakt. Na 1995 maakte ik nog enkele verslagen over de consequenties van de oorlog.'

Shenida kreeg meer vrije tijd, ze kon nu en dan naar huis. Naar Kosovo, naar haar kinderen. Haar ouders waren de wrevel vergeten, ze werd met open armen ontvangen. Ze kon financieel helpen. Als ze naar Zagreb terugkeerde, nam ze haar twee oudste zonen mee om ze daar te laten studeren. Ondertussen steeg de spanning in Kosovo elke dag. Het Kosovaarse vrijheidsleger UCK (Ushtria Clirimtare E Kosova) sprak al niet meer over een terug te krijgen autonomie, maar over totale onafhankelijkheid.

Shenida voelde zich opnieuw geroepen.

Shenida: 'Voor het eerst nam ik echt notie van mijn afkomst, mijn verleden. Mijn vader had het daar ook altijd over. "Ze willen de Albanezen in Kosovo uitroeien," zei hij. We hebben hier altijd geleefd. Eeuwen al. Ik was tot dusver zeker niet door onze geschiedenis geobsedeerd. Want eigenlijk is de meerderheid van de bevolking Albanees. Maar door de enorme spanningen van het UCK met de Serviërs, ook door de opstelling van mijn vader, besloot ik een film te maken over de geschiedenis van Kosovo. Waardoor ik ontdekte dat er in iedere eeuw Albanezen in Kosovo werden vervolgd.

Ik heb de film in 1998 gemaakt, samen met Kroatische intellectuelen. Het waren ondermeer auteurs die boeken hadden gepubliceerd over Kosovo. Branko Horvatt begeleidde het hele project. We toonden niet alleen de geschiedenis, maar ook de agressie tegenover de Albanezen door de eeuwen heen.'

En dan slaat het noodlot voor de tweede keer toe. Niet alleen Shenida wordt geviseerd, ook haar ouders.

Shenida: 'De film werd in Kroatië uitgezonden en veroorzaakte heel wat kritiek in Kosovo. Het was dus de tweede keer dat ik een storm van tegenstand had uitgelokt. In een normaal land zou het ongenoegen via de pers en de lezersbrieven worden gekanaliseerd. Bij ons volgde een gruwelijke wraakactie.'

Een paar dagen later stond een groepje Serviërs voor de deur van het ouderlijke huis van Shenida. Het was midden in de nacht en haar tachtigjarige vader werd samen met haar moeder uit bed geklopt. Ze kregen één minuut om hun huis te verlaten. De moeder kreeg niet eens de tijd om wat kleding of voedsel mee te nemen. Of een foto van haar kinderen. Bevend en terwijl het groepje hen stond uit te schelden, gingen ze aan de andere kant van de straat staan. Dan werd het vuur aan hun huis gestoken. De vader kwam in opstand, werd geweldig kwaad. Hij wou iets ondernemen, het vuur stoppen. Maar ze sloegen hem tot hij op de grond viel. 'Weg hier,' riepen ze en stuurden honden af op de twee oude mensen. Shenida's ouders strompelden tenslotte weg, ze wisten niet waarheen. 'Doe de groeten aan je dochter,' riep er een, 'zeg haar dat ze in het vervolg andere films maakt.'

In een paar uur bleef er van het huis niet veel meer over dan wat smeulende resten.

Shenida: 'Drie maanden heb ik naar mijn ouders gezocht, ik wist niet meer waar ze waren. Het was een heel moeilijke periode. Het huis van mijn ouders platgebrand omdat ik een film over de Albanezen in Kosovo had gemaakt. Mijn ouders werden zo erg gestraft om wat ik had gemaakt en ik kon hen niet helpen. Ik werd zelfs hartpatiënt. Het ergste was dat ik hen niet kon helpen. Het moeilijkste was toen ik belde en niemand antwoordde. Uiteindelijk vond ik hen terug in Macedonië. Mensen uit Macedonië die me kenden, hadden me gewaarschuwd. Een groot jaar later konden ze naar Pristina terugkeren. Maar ze hadden nog steeds geen "thuis". De Servische buren boden hen aan om een tijdje bij hen te wonen. Vroeger hadden we tenslotte een heel goede relatie met onze buren en eigenlijk met alle Serviërs in Pristina. Ik groeide met hen op. Mijn ouders vonden tenslotte een heel bescheiden huisje in de omgeving, waar ze vroeger woonden. Nu moeten ze leven van een pensioentje van 35 euro per maand. Al die jaren durfde ik niet meer terug te gaan naar Kosovo. Want ik voelde me zo verschrikkelijk schuldig tegenover mijn ouders. De dag dat het huis werd platgebrand, hadden ze op de Kosovaarse televisie de ontreddering van mijn ouders getoond. Als een triomf van wraak. De eerste jaren wilden mijn ouders me niet meer zien. Het was de tweede keer dat ik hun leven omver had gegooid. Ik durfde zelfs niet te bellen. Mijn ex-man had de zorg voor mijn kinderen overgenomen. Ook die zetten zich tegen mij af.

Vandaag ga ik verder met mijn leven, ik voel me nog steeds echt verantwoordelijk voor wat mijn ouders is overkomen. Het gaat nu wat beter. Mijn ouders hebben een kalm leven, maar ze leven in heel slechte condities. Ik kan hen niet helpen nu, want ik verdien geen geld meer. Ik werk nu als freelancer, maar krijg geen opdrachten. Ik ben verrast, want ik heb zoveel gedaan, elke opdracht die ze me gaven, aanvaardde ik zonder voorwaarden. Mijn bazen waren steeds opgetogen over mijn reportages en nu krijg ik geen werk meer. Ik wil daar verder geen commentaar op geven. Ik leef dag na dag, en vecht. Men moet vechten, nietwaar? Ik ben geen pessimist, maar er is geen hoop voor mij. Iedereen kent me, nietwaar. Mijn oudste zoon is al 21 jaar en afgestudeerd, de derde is 17. Twee maanden geleden ben ik voor de allereerste keer terug naar Kosovo gegaan. Met ingehouden adem, dat verzeker ik je. Ik had niemand vooraf verwittigd. Toen ik aan de deur van mijn ouders belde, klopte mijn hart tot in mijn oren. Misschien werd ik meteen weggestuurd, maar mijn ouders reageerden heel opgelucht en blij dat ze me zagen. Mijn vader knikte lachend, mijn moeder nam me in haar armen. De tranen vloeiden, het duurde een hele tijd eer we konden praten. Ach, mijn ouders leven zo schamel. Ze hadden enkel één paprika, wat brood en water om te eten, terwijl mijn moeder altijd zo graag in de keuken bezig was. Ze kon heel lekkere taarten bakken. Ook onze Servische buren heb ik een bezoek gebracht. Ze waren beschaamd over wat er allemaal gebeurd was en verzekerden me dat ze er voor niks tussen zaten. Ik heb ook niet uitgezocht wie er schuldig was. In oorlogen gebeuren die vreselijke dingen nu eenmaal.'

'En nu, Shenida?', vraag ik.

'Kan je me helpen?', reageert ze direct.

Ze heeft een hele stapel video's in haar tas, kopieën van haar reportages. Ik koop er enkele.

'Maar dat is geen oplossing Shenida!'

Ze wacht even en glimlacht.

'Ik heb wel plannen, ik zou een documentaire willen maken over terrorisme,' zegt ze dan hoopvol.

Korte geschiedenis van Kosovo

Er woonden 90% Albanezen in Kosovo en 10% Serviërs.

Zowel Serviërs als Albanezen claimen de geschiedenis van Kosovo.

Volgens Albanese historici hebben er sinds de Oudheid Albanezen in Kosovo gewoond. De Serviërs verwijzen vooral naar de Slag van het Merelveld van 1389 waarin ze zich tegen de Turken verweerden. Servië verliest de strijd en wordt de volgende 500 jaar door het Ottomaanse rijk overheerst.

1929	Het officiële koninkrijk Joegoslavië wordt gevormd door de staten Slovenië, Kroatië, Servië en Montenegro. Kosovo is onderdeel van Servië.
	Tito, de Joegoslavische leider, probeert eind jaren zestig de dominante positie van de Serviërs tegen te gaan. Decentralisatie is zijn motto.
1974	Kosovo wordt een autonome provincie binnen Joegoslavië.
1981	Eerste uitbarsting van ongenoegen van Albanezen in Kosovo
1989	Milosevic ontneemt Kosovo zijn autonomie. De gematigde Ibrahim Rugova wordt met zijn 'Democratische Liga voor Kosovo' de leider van de Kosovaren.
1999	Terwijl Servië etnische zuiveringen in Kosovo doorvoert, onderhandelt men in het Franse Rambouillet voor meer autonomie voor Kosovo. Op 24 maart slaan de eerste NAVO-bommen in op Belgrado. Elf weken later zijn bijna een miljoen Albanese Kosovaren verjaagd.
	Vanaf 12 juni wordt Kosovo door buitenlandse troepen beschermd, en staat onder VN-bestuur.

De ontgoochelde Ana

1978. Zagreb -Joegoslavië
Branka was een dartel meisje van amper vijf jaar als haar mama met Stephan
trouwde. Branka mocht de ringen dragen. Ze lagen op een rood kussentje, innig
verbonden en opgefleurd met blauwe, rode en witte linten . 'Oppassen hé, Branka,'
zei Ana, 'het zijn heel duren ringen.'
'Maar waar is papa?' vroeg Branka met een klein stemmetje. Tussen al die geno-
digden zag ze nergens haar papa. Papa was op het feest niet uitgenodigd, ex-man-
nen verstoren eerder feesten dan ze die opfleuren.
Ana was mooi, beeldschoon, met haar donkere ogen die men in poëzietermen
nogal eens reeënogen noemt. Ze droeg een beige kleed met kantversieringen. Voor
haar eerste huwelijk had ze wel een wit kleed gedragen, maar wit hoort nu een-
maal maagden toe en die status was Ana sinds geruime tijd voorbij.
Aan de weelderige tafels veel opgewekte gasten die van de geurige calamares ge-
noten en zich onbelemmerd aan Joegoslavische wijn laafden. En al sprak men el-
kaar tijdens het feestmaal met kameraad aan, zoals de communistische doctrine dat
toen voorschreef, de muziek was van pure nationalistische weemoed. De mandoli-
nes vertelden de trots van de Kroatische geschiedenis en in de roes van het feest zong
men over alle mogelijke en onmogelijke Kroatische liefdes.

Stephan, ruim wat ouder dan Ana, droeg zijn vrouw op handen. Geen verwen-
ning was er teveel aan. Hij gaf haar ook de nodige ruimte, de zuurstof die van
haar een heel speciale vrouw zou maken.

Ana begon haar carrière als economist in een groot staatsbedrijf in Zagreb.
Heel zelfzeker en ondernemend beklom ze de ladder om aan de top in het bouwbedrijf van haar echtgenoot te belanden. Voor honderden personeelsleden bere-
kende ze lonen en werd om haar menselijkheid sterk geapprecieerd.

1991 Zagreb- Kroatië
De wereldgeschiedenis heeft sinds 1989 een wending genomen. De Muur van
Berlijn is in november 1989 door bevolking van Berlijn naar beneden gehaald.
Kort daarna zouden samen met de ondergang van het communisme heel wat
Oostbloklanden uit elkaar spatten. Ook in Joegoslavië was er al een tijd on-
rust. Zonder al te veel problemen scheidde Slovenië zich in 1991 van Joegosla-

vië af. Kroatië, dat dezelfde droom koesterde, verklaarde zich op 25 juni 1991 onafhankelijk. Het vuur was aan de lont. In Kroatië, met ongeveer vier miljoen inwoners, voelde de Servische minderheid (700.000) zich zonder meer bedreigd, ook al omdat de president van het nieuwe Kroatië niemand minder was dan de extreem rechtse nationalist Franjo Tudjman, die er nooit enige twijfel liet over bestaan dat hij het *Herrenvolk* bijzonder genegen was.

De Servische president, Slobodan Milosevic, droomde ook en zijn dromen werden al helemaal niet gehinderd door grenzen. Na alle onafhankelijkheids-verklaringen en dreigingen bleef hij steevast in een Groot-Servië geloven. Hij drukte het keer op keer zo uit: waar er ook maar één Servier woont, moet het grondgebied worden geannexeerd. Een meedogenloze burgeroorlog verstevig-de zijn meningen. Eerst in Kroatië, vanaf in april 1992 in Bosnië.

Bosnië, dat qua onafhankelijkheid niet wou achterblijven, maar helaas ook met verschillende bevolkingsgroepen rekening moest houden: Kroaten, Serviërs en Bosnische moslims. Milosevic kon zonder meer rekenen op meedo-genloze handlangers als generaal Ratko Mladic en psychiater-dichter en zoge-naamde kindervriend Radovan Karadzic. Die twee laatsten lieten zich graag door hun gruweldaden opmerken. Wie om de reden vroeg, kreeg onder meer als antwoord dat Bosnische moslims geen mensen zijn. En nadat ze opnieuw een etnische zuivering, annex moorden en verkrachtingen hadden laten uitvoeren, schreef Radovan Karadzic een nieuw kindergedicht dat hij met veel pathos op televisie voorlas.

Karadzic en Mladic zijn tien jaar na de oorlog nog niet gevat.

Het einde van de oorlog kwam er effectief na de Dayton-akkoorden in de-cember 1995.

Alleen was men toen onbedachtzaam aan het ongenoegen van de Kosovaar-se bevolking voorbijgegaan. Slobodan Milosevic was niet bereid om helemaal zijn zoete droom van een Groot-Servië op te geven, zelfs al werd het grondge-bied steeds maar kleiner en kleiner. Nemen wat er te rapen valt, was zijn devies. Kosovo was voor hem ondeelbaar en hoorde Servië toe. Maar de Albanese be-volking dacht en denkt daar anders over. Kortom...

De oorlog woedde in alle hevigheid, huizen en levens werden schaamteloos ver-woest. Het bouwbedrijf van Stephan en Ana keek tegen gedwongen werkloos-heid aan. Wie bouwt er in godsnaam als bommen voor de dagelijkse neerslag zorgen? Uiteindelijk moest het bedrijf sluiten en Ana, verschrikt en geroerd door zoveel ellende, nam een deel van het eigen kapitaal en huurde in Zagreb aan een grote avenue een kantoor waar ze een vereniging oprichtte voor huma-nitaire hulp aan vrouwen en kinderen.

Samen met enkele vriendinnen stichtte ze de organisatie Bedem Ljubavi. *(Muur der Liefde)*. Ze schreeuwden om dialoog, al werd er niet echt geluisterd. Bij alle mogelijke heiligen zetten de vrouwen brandende kaarsen, moedig liepen ze op soldaten toe om bloemen in de loop van hun geweren te stoppen en organiseerden samen met andere organisaties een demonstratie in Brussel. Ondertussen stroomden de vluchtelingenkampen om en rond Zagreb vol. Moeders en dochters huilden bittere tranen om verloren mannen en kinderen. De eerste verhalen over massale verkrachtingen schokten het Westen. Zo dicht bij ons?

Ana nam de rol van redder in nood op zich, ze werd de troosteres der bedrukten. Het was haar op het lijf geschreven. Het kantoor van Bedem Ljubavi vulde zich als een gonzende bijenkorf. Maar de honing smaakte allesbehalve zoet. Ontredderde vluchtelingen schoven aan voor wat hulp, wat begrip. De machteloosheid nam schrikwekkende vormen aan.

Het ontmoedigende verhaal van Ana en haar ploeg, begon nochtans warm en menselijk.

Internationale organisaties bezochten Bedem Ljubavi om via hen in contact te komen met oorlogsslachtoffers. Bedem Ljubavi werd als het ware de toegangspoort naar oorlogsellende.

Ana nam haar bezoekers mee, naar de vluchtelingenkampen, naar verwoeste steden, naar Bosnië, naar overal waar men het bewijs wilde zien dat oorlog en onrecht hand in hand gaan. Ana bleef innemend en betaalde indien nodig ook sommige hotelrekeningen. Gratis was een begrip dat voor bepaalde hulporganisaties namelijk voor de hand lag.

Vrachtwagens met kleding, speelgoed en medicijnen reden af en aan. Het Westen voelde zich goed in die rol. Dat veel medicamenten over datum waren of gevaarlijk voor patiënten, werd niet altijd ernstig genomen. Hoofdpijn is hoofdpijn en als je in een vluchtelingenkamp zit, moet je niet teveel eisen. Ana en haar groep hadden zich ondertussen gespecialiseerd in het dankbaar zijn. De wereld rond gingen ze getuigen. Ze vlogen van de ene conferentie naar de andere. In Kroatië en Bosnië bezochten ze dagelijks de vluchtelingenkampen en de slachtoffers van de oorlog. Ze huurden loodsen om de goederen te stapelen, kochten een lichte vrachtwagen om de goederen naar de vluchtelingenkampen voeren, openden een Kindergarten, een weeshuis en een naaiatelier.

Ana startte programma's met psychologen om de trauma's van de verkrachtingen te verwerken. Het werd duidelijk dat het verkrachten van vrouwen als een oorlogsdaad werd uitgevoerd: de tegenstanders via hun vrouwen en meisjes vernederen. De ontsteltenis was groot, Ana en haar groep kwamen armen te kort om vrouwen en soms nog kleine meisjes te koesteren. Op het eerste gezicht leken de verhalen onmogelijk, onmenselijk. Maar de verhalen werden duidelijker, meer bewijsbaar, het was onmogelijk om zo hard te fantaseren. Er werd zelfs over verkrachtingskampen gesproken. Het Omarskakamp in Bosnië leek uit te blinken in soldatenplezier.

Ana was nooit meer thuis. 's Morgens vertrok ze vroeg en kwam heel laat thuis. Stephan zag zijn vrouw bijna niet meer. Hij zag alleen het hoopje kleren dat hij elke dag behoedzaam in de badkamer opraapte en in een wasmand legde. De situatie maakte hem hopeloos, hij kon zich nog moeilijk onder controle houden. Verschrikkelijke berichten deden hem beven. De dokter stelde een andere diagnose: Parkinson! Stephan werd opstandig, hij wilde de aandacht van zijn vrouw terug. Maar Ana zag andere toestanden in een wereld die haar nodig had. Ook Branka wilde de aandacht van haar moeder en daar was ook geen tijd voor. Ana kalmeerde het thuisfront door in de schaarse momenten van haar aanwezigheid de verhalen te vertellen die op zijn zachtst uitgedrukt beklijfden. Ana organiseerde, belde, troostte en luisterde. Tot haar verbijstering ook naar vreselijke verhalen waar haar eigen volk schuldig aan was.

Naar gelang de oorlog vorderde, werden niet alleen de misdaden van de Serviërs, maar ook die van de Kroaten duidelijker. Ook die schrokken niet terug voor een spat bloed min of meer. In de Krajina (Kroatië), waar voornamelijk Serviërs wonen, ging men meedogenloos met de bevolking om. Het was voor Ana en haar groep niet na te vertellen, tenzij met diep schaamrood op de wangen.

Ana besloot dat tranen van vrouwen en kinderen geen nationaliteit hebben. Het werd één van de openingszinnen van haar toespraken: 'We helpen vrouwen en kinderen in nood, de nationaliteit speelt geen rol.'

In de verhitte strijd werd ze niet altijd geloofd en ze boog zich met zoveel genegenheid naar de Servische kant, dat haar eigen achterban zich vragen begon te stellen. Ook daar moest ze uitleg geven en constateren dat oorlog twee uitgesproken kanten heeft. Vrienden en vijanden. Ana bleef in elk geval voorzichtig de dunne scheidingslijn van vriend en vijand bewandelen en stelde dat humanitaire hulp geen etiket mocht dragen. In Vukovar, de Kroatische stad die in 1991 als eerste was gevallen, overhandigde Ana tijdens een bezoek in het voorjaar van 1994 een bloem, een tulp uit de tuin, aan een Servische vrouw die in een 'ingenomen' Kroatisch huis woonde.

'Is het geen tijd om een voorbeeld te stellen?'

De Servische vrouw omarmde haar. Ana huiverde. Wat verder stonden Kroatische vrouwen van vermiste mannen, moeders van vermiste zonen, haar hatelijk aan te kijken.

Ana: 'Het was echt niet makkelijk. We waren wel blij dat we onafhankelijk waren, maar we moesten heel omzichtig met die trots omgaan. En ja, we waren vreselijk kwaad op de Serviërs. Ik had die collones met vluchtelingen uit Vukovar zien komen, ik had geluisterd naar de verhalen van verkrachtte vrouwen. We werden echt overrompeld door slachtoffers. Gelukkig ook door buitenlandse hulp, die echter niet altijd goed doordacht werd gestuurd en die ons ook problemen gaf. Waar moesten we bijvoorbeeld in godsnaam blijven met die oude kleding die maar bleef toestromen en niet meer bruikbaar was? Terwijl de vrouwen zo'n nood hadden aan hygiënische producten, bijvoorbeeld. Ze zaten maanden in een vluchtelingenkamp zonder maandverband, zonder zeep. En wij maar oude kleding uitdelen.'

Na de oorlog of liever na het sluiten van de Dayton-akkoorden van december 1995 wilde Ana van geen ophouden weten. Ze heeft geleerd dat dialoog en vriendschap wonderen kunnen doen. Nu hun oorlog en de oorlog in Bosnië over was, moest men verder praten. Terwijl de vluchtelingenkampen langzaam leegliepen, bleef Ana de mensen begeleiden waar ze kon.

Ana: 'Het was heel vreemd, er overviel me geregeld een immens gevoel van verlatenheid. Ik stond jaren tussen duizenden mensen die me nodig hadden, dag en nacht, en plots veranderde alles. De vluchtelingenkampen rond Zagreb hadden geen reden van bestaan meer, tenzij hier en daar wat oude vrouwen die niet wisten waarheen. De hulporganisaties gingen naar huis. Tijdens de oorlog was alles zo intens, je had geen tijd om na te denken. En je had ook het excuus in je omgeving om altijd weg te zijn. Plots hield het op, al was ik ervan overtuigd dat nog zoveel te doen was, en we hadden zoveel toffe mensen ontmoet, dat mocht zeker niet verloren gaan. We hadden leren dialogeren, we zouden toch niet stoppen met praten.'

Ondertussen zorgden de spanningen in Kosovo voor internationale bekommernis. Het UCK, de radicale verzetsgroep van de Albanese Kosovaren, verzette zich steeds hardnekkiger tegen de Servische inmenging en vroeg de volledige onafhankelijkheid. De Servische troepen van hun kant gingen nogal opgewonden tekeer, dorpen werden vernietigd, de bevolking werd verdreven en her en der bedekte de aarde huiveringwekkende massagraven.

Het laatste weekend van juni 1998 organiseerde Bedem Ljubavi een congres in Zagreb met als titel: Vrouwen bouwen bruggen naar vrede. De brug zou echter geen stand houden en helaas onder kritiek en vooral onder desinteresse in elkaar storten. Het congres vond plaats in een zaal van het Zagrebse stadhuis. Er was nogal wat internationale belangstelling. Europese, Canadese, Japanse en

Amerikaanse parlementsleden stonden op het programma. Er werd streng over nationalisme gedebatteerd en een ander teer punt op de agenda bleek de aanwezigheid van een vrouwelijke militair.

'Vrouwen moeten ook helpen beslissen, ook bij militaire acties. Als men van plan is om mensen te doden, moeten ook wij dat weten.'

Ze kon haar toespraak niet tot een goed einde brengen. Het rumoer overstemde haar strategieën.

'Wij vrouwen? Wij vechten niet!' was de ondertoon van de tegenstand.

'Wij vrouwen, wij zijn dé slachtoffers.'

Niet alleen zijn vriend en vijand in de oorlog een delicaat onderwerp, evenzeer wapens en vrede. Er was geen discussie mogelijk. Het ging er in de rangen van de toehoorders heel heftig aan toe.

De vrouwelijke militair haalde haar schouders op, probeerde nog eens haar standpunt over te brengen. Het lukte niet. Dan sneed ze het thema verkrachtingen aan.

'We zouden cursussen moeten geven over hoe vrouwen die hitsige pikken moeten afsnijden. Het enige wat we vrouwen tot nog toe vertelden, was hoe ze met hun vreselijke ervaringen moesten omgaan. Waarom leren we ze niet verkrachting te voorkomen of op zijn minst zich degelijk te verdedigen?' Ook daarover waren de meningen verdeeld.

Over de dreiging van een nieuw Kosovaars conflict werd er ook gepraat, maar hoe zou men dat verhelpen? Bovendien geloofde niemand dat de internationale gemeenschap nog eens lijdzaam zou toekijken. Die gemeenschap gaf een tijd daarna echter zelf een voorzetje door NAVO-bommen op Belgrado te lanceren.

In elk geval werd het congres voor Ana en haar groep een fiasco. De pogingen om over samenwerken en langdurige vriendschap te spreken mislukten. Er was bitter weinig interesse om naoorlogse activiteiten te ontplooien. Iedereen haastte zich naar huis, naar de inzet voor een nieuw conflict ergens in de wereld. Ana stuurde nog verwoed de besluiten van het congres naar iedereen, benadrukte nog eens dat men in oorlogstijden voorzichtig moet zijn met uitspraken en probeerde via mails de banden aan te halen of te verstevigen. Ze kreeg niet veel reactie, niemand daagde nog op, tenzij de deurwaarder die een vaste gast werd.

Ana: 'Na het congres hebben we alles in vraag gesteld. Bovendien had het congres ontzettend veel geld gekost. We hadden onze buitenlandse gasten zo goed mogelijk ontvangen, maar ja, zoiets kost geld natuurlijk. Er waren ook veel buitenlandse mensen vertrokken zonder hun hotelrekening te betalen! We stonden flink in het rood. Maar ik wilde tegen elke prijs ons kantoor open houden.

Helaas, na enkele maanden bleven zelfs de leden van onze kerngroep achterwege. Iedereen kreeg het te druk met zijn eigen leven. In de plaats van te bouwen, bruggen te slaan, begonnen we af te bouwen. Eerst verdween de computer, daarna de telefoon. Uiteindelijk heb ik ook maar het licht uitgedaan.'

De strijd was gestreden.

Eind 2004

Enkele oorlogen en veel ontgoochelingen later, ontmoette ik Ana opnieuw. Ook ik heb haar jaren uit het oog verloren. Druk met dit en dat en vooral met veel excuses waarom ik geen tijd had.

Ana is me samen met Hrvojka en Marija komen ophalen op het vliegveld van Zagreb. Ik heb er een paar bewogen vluchten op zitten. Brussel-Rome-Zagreb werd Brussel-Budapest- Zagreb omdat de Italianen een stakingsdag hadden.

Ana is nog altijd mooi, alleen is de glans uit haar ogen verdwenen en heeft plaats gemaakt voor twijfel. Haar gezicht is wat opgeblazen en hier en daar trekt een grijze draad door het roodbruine haar.

'Sister,' zegt ze ontroerd als ze me ziet. We hadden onze vriendschap voor elkaar eens in broederschap uitgedrukt. De vrouwen verzekeren me dat ook ik niks veranderd ben, alleen vermagerd en wijzen nogal nadrukkelijk op de scherpere trekken in mijn gezicht. Ik wil wel heel even in de onvergankelijkheid van schoonheid geloven. Tot aan de volgende spiegel natuurlijk. Ik ben in Hotel Dubrovnik gelogeerd, het hotel is me wel bekend van vorige bezoeken. Een piepkleine kamer, met uitzicht op de grote markt van Zagreb. De markt is nog steeds de drukke bijenkorf die in mijn geheugen staat gegrift. Amper heb ik tijd om mijn welgevulde valies neer te zetten en de cadeautjes eruit te nemen, of de vier vrouwen kloppen aan om me mee te nemen naar restaurant Bobovan, net naast het hotel Dubrovnik. Het wordt pasta met een glas rode wijn. En geen tsjirpende mandolines, maar Amerikaanse popmuziek. Ana belt zonder ophouden om afspraken voor ons te maken, wat me duidelijk maakt dat er niet zoveel voorbereidingen zijn getroffen. Om 22 uur gaan we slapen, ik in het hotel, de vier dames in hun bedstede waar al dan niet warme mannenvoeten hun opwachten.

Enkele dagen zal ik in het gezelschap van de vrouwen doorbrengen, op zoek naar hun gekwetste ziel. De confrontaties worden allesbehalve vrolijk. Ana's verhaal hoor ik pas de laatste dag van mijn verblijf. De dagen ervoor heb ik naar andere verhalen geluisterd. De signalen die ik van iedereen kreeg over Ana, hadden me al niet veel goeds voorspeld.

We zitten in haar pas geopende restaurant, Cavallino. Het restaurant is aan de rand van de industriezone van Zagreb gelegen, waar de meeste bedrijven moeizaam herstellen, maar tot dusver niks meer zijn dan een kapotgeschoten schroothoop.

Stephan, Ana's echtgenoot, zit er ook. Aan een tafeltje bijna onzichtbaar achter een steunpilaar. Voorzichtig knikt hij even, zoals hij naar alle schaarse klanten knikt, maar hij herkent me niet meer.

Ooit, in december 1993, heeft hij me warm onthaald. Toen Ana en ik van een heel hachelijke reis door Bosnië veilig en wel terugkeerden. 'Bedankt,' zei hij toen opgelucht, 'bedankt om voor Ana te zorgen.' Het was december 1993 en de situatie in Bosnië was toen uitzichtloos. Er kwam een wirwar van berichten en Ana en ik vonden dat we zoiets van dichtbij moesten bekijken. Zij om haar netwerk van hulpgoederen uit te breiden, ik om erover te schrijven. Daarom huurden we in Split, aan de Adriatische kust, een auto en reden over besneeuwde wegen Bosnië binnen. Het was de aanvang van een avontuurlijke reis die we om allerlei redenen geen van beiden ooit zullen vergeten. In Mostar lieten we ons door twee jongemannen, die ons al een tijdje als bodyguards hadden vergezeld, overhalen om eens aan het front te gaan kijken.

'Jullie hebben tot nog toe enkel de gevolgen van oorlogsellende gezien,' zei Branko, 'maar voor jonge soldaten die gedwongen aan het front zitten, is het ook geen pretje.'

Zo belandden we in een gevecht in het centrum van Mostar voor de verovering van één straat. Midden een ongelooflijke schietpartij zaten we onderuit gezakt tegen zandzakjes. We lagen op de grond geplakt tegen die muur van zandzakjes. Het was de meest veilige plaats. Tussen het lawaai van kogels en granaten door fluisterden Ana en ik tegen elkaar hoe stom we wel waren om zo'n avontuur op te zoeken. En allebei dachten we maar aan één ding: hier veilig wegkomen. Toen het kabaal even ophield, schoven we op onze buik heel voorzichtig van de oorlogscène weg. Ons hoofd diep in onze jas getrokken alsof het textiel voor de nodige bescherming zou zorgen. Een paar straten verder stond ik tenslotte als een witte vod tegen een muur geleund, en heb alles wat niet vastzat binnenin mijn lichaam naar buiten gegooid. Ook Ana stond te trillen, maar ze wilde niet toegeven en klopte me troostend op de rug. 'Kom, kom, we zijn er toch levend uitgeraakt?'

Toen ik dat verhaal aan Stephan wilde doen, porde Ana in mijn ribben.

'Zwijgen gij,' commandeerde ze, terwijl ze me met een samenzweerderig lachje aankeek. Stephan voelde automatische dat we 'iets' hadden uitgespookt.

Nadien hebben Ana en ik soms hartelijk om ons avontuur gelachen, al blijf ik het één van de grootste stommiteiten van mijn leven vinden.

Stephan is nu niet meer bang of geroerd door zo'n verhalen. Hij is oud en ziek. De sterke tekens van chronische vergetelheid worden door zijn reacties bevestigd.

'Ik wil de sleutels van mijn huis, Ana?', komt hij vragen.

'Hij vraagt me elke dag tien keer waar we wonen,' zegt Ana kregelig en zucht.

'Stephan, ik heb al werk genoeg!'

Hij keert naar zijn tafeltje terug.

Restaurant Cavallino is het tweede restaurant dat Ana opende. Haar eerste restaurant, Bistro, was piepklein, Cavallino daarentegen is groot en uitdagend. Aan de muren allemaal prenten met exotische vruchten, overal bokalen gevuld met kleurrijke pasta's. Op de tafels liggen groen geruite tafellakens. Het interieur moet de verbondenheid met de natuur en veel lekkers uitstralen.

Ana laat schotel na schotel voor me aanrukken. Pasta met inktvis, een waterig soepje, een lapje rundvlees met groenten. Zelf eet ze niet.

De jonge kelner, Marko, slooft zich inmiddels uit om alles over Europa te weten te komen.

'Hoe denken ze in België over ons?', vraagt hij.

'Ze denken in termen van een prachtig vakantieland,' antwoord ik om politieke statements te vermijden.

'Wij willen ons zo vlug mogelijk bij Europa voegen,' zegt hij en giet nog wat extra rode wijn in mijn glas.

'Is voor jou de oorlog uitgewist?', vraag ik.

Marko was amper zeven jaar toen de oorlog uitbrak. In een gezin waar het aantal kinderen amper bij te houden was. Na enkele maanden sloeg de dood genadeloos toe. Broer na broer sneuvelde. Terwijl de vader totaal ontredderd steeds vaker naar de fles cognac greep, sloeg de moeder op een dag de hand aan zichzelf door zich in de schuur te verhangen.

Ana: 'Het was een drama voor de overgebleven kinderen en zeker ook voor de vader. Met Bedem Ljubavi namen we zoveel mogelijk de kinderen van dit ontredderd gezin onder onze vleugels. Ik zal het maar toegeven, Marko was mijn lieveling. Op den duur dronk de vader geen cognac meer, hij zwom er in. Van 's morgens vroeg tot 's avonds laat. De kinderen hadden echt geen leven meer. Op een dag, toen ik Marko ging halen, werd ik verschrikkelijk kwaad toen ik hem daar zo ineengezakt in een zetel zag liggen, helemaal beneveld door de alcohol. Ik heb zijn fles cognac gepakt en die in de vaatbak kapot geslagen. Het glas sprong overal rond: "Dat was dus je laatste druppel hé, kerel, heb je nog niet genoeg kapotgemaakt? Wat zou je vrouw daarvan gezegd hebben?", schreeuwde ik woedend naar de man. Hij schrok zich rot, hij had me steeds als een begripvolle vrouw gezien en nu plots stond er een furie voor hem. Je ge-looft het niet, maar hij is echt opgehouden met drinken.'

Ana kijkt me wat overmoedig aan, met dat speciale lachje dat ik zo goed ken en wacht op mijn reactie.

'Ik wist dat je gezag had, maar dat je mannen kon dwingen...,' grap ik. We lachen allebei hartelijk.

Marko zit tijdens het verhaal triestig voor zich uit te kijken.

'Ik mis vooral mijn moeder,' besluit hij sip en staat op om verder te werken. Zoveel werk is er niet. Er zitten geen klanten.

Ana: 'Marko studeert muziek. Tussentijds werkt hij hier voor mij. Ik hoop maar dat alles goed afloopt en hij hier misschien ooit een concert kan spelen.'

Het zal duidelijk nog een tijdje duren eer er hier volle zalen zitten. Ik benijd Ana niet. Ook haar verhaal weegt zwaar door.

Ana: 'Na dat memorabele congres in 1998 was ik helemaal van de kaart. De onverschilligheid van sommige buitenlandse organisaties waarmee we zo goed hadden samengewerkt, bleef aan mijn vel plakken. Ik begreep niet goed waar-om. Het kwam op den duur bij mij over alsof ik in een draaikolk vol onbegrip was terecht gekomen. In zo'n situaties reageer je niet normaal meer, je denkt dat iedereen en alles tegen je is. Bovendien zaten we ook nog met een financiële kater. Daardoor raakten we afgesloten van iedereen. Als je zelfs niet meer kan bellen... Even ben ik nog gaan bedelen om wat toelagen, maar ik kreeg overal de deur tegen mijn neus. De economische situatie van ons land was slecht, ook Ste-phans bedrijf kon niet meer opstarten. Daar stond ik dan, helemaal met lege handen. Ik had niks meer, geen geld, geen werk. Van het opnieuw opbouwen van een carrière was, gezien mijn leeftijd en de situatie in Kroatië, echt geen sprake. Wat me vooral ook belastte was het wegvallen van die internationale vriendschap waar ik zo in geloofd had. Natuurlijk was ik blij dat de oorlog ge-stopt was, dat de vluchtelingenkampen geen reden van bestaan meer hadden...

Maar precies die mensen waren voor mij jarenlang de belangrijkste drijfveer geweest. Ik wist dat velen nu een broos nieuw leven opbouwden ergens in Sa-rajevo, Mostar, of Osjiek misschien. Ik wou echt verder helpen, hen vergezellen, maar ik kon niet meer. Ik bleef ontzettend eenzaam achter en voelde me lang-zaam wegglijden. Een makkelijke prooi voor een depressie. 's Morgens stond ik huilend op, 's avonds ging ik huilend slapen. Niemand kon me nog troosten. Ik was niet meer vatbaar voor rede. Als ik niks te doen had, lag ik te huilen.

Uit financiële noodzaak solliciteerde ik tenslotte bij een schoonheidssalon in het centrum van Zagreb. Het was een parttime baan en ik werd aangeno-men! Daar moest ik nagels vijlen, vettige crèmes uitstrijken, borstelige wenk-brauwen uitdunnen en naar prietpraat luisteren. Het was precies alsof de oorlog was voorbijgegaan aan de dames die daar in de zetels lagen. Na alle ellende die ik had gezien en gehoord, kon ik me moeilijk nog voor societynieuwtjes interesseren. Ik weet echt niet wat me bezielde, maar op een dag heb ik moedwillig de gepunte nagels van een leeghoofd gekortwiekt en werd meteen ontslagen. Daarna is de lijdensweg van de psychiatrie begonnen.'

De psychiater was specialist in oorlogstrauma's. Ana ging om de twee dagen, want de storing was acuut. Ze slikte pillen, kreeg inspuitingen en lag tussendoor thuis te suffen. Stephan had zijn vrouw jaren gemist en nu herkende hij haar niet meer. Hoofdschuddend betaalde hij nog de schadevergoeding aan de vrouw die Ana met korte, gehavende nagels achterliet.

'Ze groeien wel terug,' verdedigde Ana zich, maar niemand luisterde naar gezond verstand uit de mond van iemand die men voor gestoord hield. Ten einde raad stuurde Stephan haar met vakantie naar een eiland aan de Adriatische kust. Ook dat hielp niet. Het blauwe water interesseerde haar niet, de golven zorgden voor verwarring. Een week later stond Ana terug op de stoep van haar eigen huis.

Als Branka wat later haar mama vertelde dat er een kind in haar buik groeide, bleef Ana's geest ongestoord in de wereld van gebroken illusies rondwaren.

Ana: 'Kan je je dat voorstellen? Je wordt oma en het zegt je niks. Mijn dochter was diep ontgoocheld. Stephan kon mijn toestand niet meer aanzien en regelde een psychiatrische opname. Ze kwamen me halen met een ziekenwagen. Tijdens de oorlog had ik zoveel ziekenwagens aan en af zien rijden, het was zo vreemd om daar plots deel van uit te maken.'

De ziekenzaal lag vol. De ijzeren bedden stonden naast elkaar gerangschikt. Ana kreeg bed 7. Haar kleren legde ze in de metalen kast, ze schoof haar schoenen onder het bed en wist geen blijf met haar make-uptasje want de badkamer was een gemeenschappelijk onderdeel van de sector geestesgestoorden. Haar komst wekte wat deining en vrolijkheid onder de andere patiënten. Zo'n mooie vrouw, hier? En hebben we haar al niet dikwijls op televisie gezien? Ze kwamen lachend rond haar staan. Iedereen zou haar vriendschap op prijs stellen.

Ana: 'Al die gezichten die zich over me bogen, me vragen stelden. Beklemming is het juiste woord. Ja, ik voelde beklemming. Was ik zover weggezakt dat ik niet revolteerde?

Ivana, je weet wel, mijn goede vriendin, kwam op bezoek en ze keek me niet zoals de andere bezoekers meewarig en vol medelijden aan. "Ben je niet beschaamd?", vroeg ze. "Je zo laten gaan! Doe toch de moeite om te vechten! Waar is je verstand gebleven? We herkennen je niet meer. Als je zo verder gaat, wil ik je vriendin niet meer zijn."

Ze was echt kwaad, haar uitval kwam als een oplawaai aan. Ze had gelijk natuurlijk, ze kwam geregeld terug en sprak me altijd op dezelfde boze toon aan. Eerlijk gezegd werd ik ook wel langzaam wakker. Ik haatte dat verblijf in die kliniek en begon mijn slachtofferrol af te leggen. Toen Ivana op een dag tegen me zei: "Ik weet een klein restaurantje dat je voor weinig geld kan overnemen. Misschien is dat iets voor jou?" rechtte ik mijn rug. Bovendien kwam Branka met dat kleine bundeltje in haar armen. Mijn kleinzoon Bruno. God, ik had de geboorte van mijn kleinzoon gemist! Hoe was het zover kunnen komen? Ik heb toen alle inspuitingen geweigerd en heb een paar dagen later geprobeerd weg te lopen. Met Stephan had ik een stevige ruzie, want hij wou mijn genezing en drong aan dat ik zou blijven. Voor de allereerste keer wou ik ook mijn genezing, maar ik wilde weg. Omdat Stephan weigerde me mee te nemen, heb ik een taxi genomen. Mijn rebelse gedrag gaf me om de een of andere reden moed. Ik denk dat ik voor de allereerste keer in maanden zat te lachen. De taxichauffeur keek me vreemd aan. "Plezant, madammeke?", vroeg hij om ook maar in mijn vreugde te delen. "Het plezantste moet allicht nog komen," heb ik geantwoord. Eerst heb ik me naar Branka's appartement laten voeren. Daar heb ik de kleine Bruno in mijn armen genomen en heb aan het kind beloofd dat hij op zijn oma zou kunnen rekenen. En paar dagen later ben ik met Ivana naar dat fameuze restaurantje gaan kijken. Er was enkel een kleine geïnstalleerde keuken, een kleine eetplaats, plus een dakterras. Het restaurant stond al een tijd leeg, was op de derde verdieping gelegen, niet meteen de meest uitnodigende plaats voor zoiets. Vanop het terras had je wel zicht op de nationale bibliotheek en het ministerie van cultuur. Ik dacht: "Die moeten toch ook eten?" En ik heb ja gezegd. Ivana kuste me. "Ana," zei ze, "je bent terug." Stephan was razend, Branka probeerde me nog om te praten, maar ik had beslist. Eerst heb ik de muren geverfd. Niemand wou me helpen, iedereen wachtte paniekerig af tot ik opnieuw in elkaar zou storten. Met gewone postkaarten die ik in een houten kadertje timmerde, versierde ik de muren. Het eetgerief bracht ik van thuis mee, de serviezen van mijn moeder zaliger. Koken was tot nog toe voor mij een vervelende bezigheid, ik kende bij wijze van spreken het verschil niet tussen een witte en een rode kool. Dus leende ik kookboeken, ging naar de markt en begon te experimenteren. Ik zocht weer aansluiting met enkele van de vroegere leden van Bedem Ljubavi. Iedereen was vriendelijk, maar iedereen had zijn eigen grote problemen. Toen besefte ik dat ik me egoïstisch op mijn eigen situatie had geplooid. Misschien geloof je het niet, maar toen ik merkte dat alle vrouwen die ik vroeger gekend had, ook zo wanhopig waren, gaf me dat opnieuw sterkte om een voorbeeld te zijn. Ik had alles uitvergroot, ook de zogenaamde onverschilligheid van het buitenland. Want kijk, jij zit hier nu voor me. Je komt speciaal om met me te praten. We zijn altijd zo goed bevriend geweest, waarom heb ik zelf niet eens gebeld? Waarom heb ik je niet uitgenodigd voor de opening van mijn Bistro? Er was veel volk toen. Vier jaar heb ik er dag en nacht gewerkt. Vraag me alles over vis, pasta, groenten, je krijgt het recept. Net toen het financieel in een snel tempo bergop begon te gaan, ging de gezondheid van Stephan met hetzelfde ritme bergaf. Ik begreep dat ik er nu echt helemaal alleen voor stond. Dat ik nooit meer op hem zou kunnen rekenen. De ooit zo flamboyante Stephan... het is ongelooflijk.

Onlangs kwam er een gebouw aan de industriezone vrij, ik ben naar de bank gestapt, heb de Bistro in pand gegeven en heb nu dit grote restaurant dat ik als cateringbedrijf wil uitbouwen. Volgende week moet ik een receptie op de ambassade van Iran verzorgen. De eerste dag voor de vrouwen, de tweede voor de mannen. Als dat kon slagen! Nu moet ik me dringend een kleine bestelwagen aanschaffen en misschien nog extra personeel.'

Ana is nu 55 jaar. Ze geeft zichzelf vijf jaar om alles op zijn plooi te krijgen. Al haar vriendinnen die ik gesproken heb, twijfelen aan haar opzet.

'We durven het haar niet te zeggen, maar ze is aan een onmogelijke opdracht begonnen. De economie zit in ons land nog steeds helemaal aan de grond. Wie wil er hier nu feesten? Hier? Zo afgelegen. 's Avonds is hier geen kat te zien.'

Toch houdt Ana vol.

'Over vijf jaar,' zegt ze als we de dag nadien op het vliegveld van Zagreb afscheid nemen, 'over vijf jaar laat ik een bloeiende Bistro en een bloeiende Cavallino over. Dat zal je wel zien. En dan zet ik me opnieuw volop voor de mensheid in. Dan gaan we opnieuw samen op reis. It's a promise, it's a deal.'

Ze slaat op de binnenkant van mijn hand om de afspraak te bezegelen.

Ik hoop het zo, maar ik geloof het niet.

Vukovar

Hoofdstraat in Vukovar, anno 2005

Het hallucinant verhaal van dr. Vesna

'Ik heb maar één raad: als er oorlog is, vlucht!', zegt Katica. Ze zit kaarsrecht, zelfs het gehobbel en geschud van het busje brengen haar niet uit haar evenwicht. Als een ongenaakbaar beeld met rond haar mond een grimmige plooi en in haar ogen een wantrouwige blik. Haar grijze haren zijn zoals altijd heel zorgvuldig gekapt en in korte golven geknipt. Al meer dan tien jaar draagt ze zwarte kleding. Het moet haar verdriet uitdrukken. Verdriet dat nog geen loutering vond.

Katica woont momenteel alleen in de omgeving van Zagreb in een klein appartementje op de vierde verdieping. Een grijze blok waarvan de lift nogal eens mankeert. Ze moet het heen en weer lopen zorgvuldig voorbereiden. Het appartementje is haar eigendom, ze kreeg het ter compensatie voor haar huis dat in Vukovar door de oorlog werd vernietigd. Een ongunstige wissel. Een grauw appartement voor een huis met een tuin. Het lot van heel wat vluchtelingen.

Ik bekijk haar stiekem, ze heeft mijn blik opgemerkt, draait haar hoofd naar me en kijkt me doordringend aan. Dan zucht ze.

'Wil je nu je verhaal vertellen?', vraag ik wat onthutst.

Katica knikt.

Ik haal de vertaalster uit haar dutje. Ze heeft haar benen opgetrokken en ligt met haar hoofd tegen de zetelrug. Het doel van de reis houdt haar allang niet meer wakker. We zijn op weg naar Vukovar, zo'n driehonderd kilometer van Zagreb. Ivan is de chauffeur van de bus. Ivan is een vriendelijke, corpulente man die van een lekker gesprek houdt. Al is hij vandaag bijzonder stil.

Zowel Ivan als Katica hebben een speciale reden om naar Vukovar te gaan. Ivan gaat er bloemen leggen op het graf van zijn zoon, Katica gaat naar de plaats waar haar zoon in 1991 verdween. Een hospitaal, een boerderij, een weide, een massagraf? In één dag zijn 260 patiënten uit het hospitaal van Vukovar verdwenen. Tweehonderd doden zijn teruggevonden. De zestig anderen zijn ook nooit meer teruggekeerd. Katica weet vooralsnog niet waar ze bloemen moet leggen.

'Mijn enige zoon, mijn enig kind.' Katica huilt niet, haar tranen zijn allang opgedroogd.

'Ik wil mijn zoon terugvinden, ik wil rouwen, hoor je dat, eindelijk rouwen,' zegt ze luid zodat heel de bus het kan horen. Iedereen is in zijn praatjes verzonken, niemand geeft aandacht.

De laatste dag van oktober 1991 was Katica thuis gebleven. De kaasfabriek waar ze werkte, had sinds enkele dagen de deuren gesloten. Vukovar was oorlogsgebied geworden. Die dag werd er zonder ophouden aangevallen. Obussen en granaten sloegen haar straat in puin. De straat die een vredige plek was, werd plots frontlinie. De voormiddag hadden Katica en haar familie in de kelder doorgebracht. De namiddag bracht blijkbaar soelaas. Het bleef stil.

'Kom,' zei Katica, 'het is misschien wel over, we gaan naar boven.' In de woonkamer zaten ze te wachten op wat er nog gebeuren zou. Toen sloeg een obus door het dak van hun huis tot midden in de woonkamer.

Katica's echtgenoot viel tegen haar aan terwijl ze naar haar zoon schreeuwde: 'Robert, vlug terug naar de kelder!'

Maar hij kon niet, zijn rechterbeen was geraakt. Niet levensgevaarlijk, maar Robert had wel verzorging nodig.

Katica's echtgenoot gaf geen teken van leven meer. Hij was meteen dood. Een ziekenwagen kwam Robert ophalen en bracht hem naar het hospitaal van Vukovar.

Katica: 'Ik was zo verward, ik weet niet eens meer wie die ziekenwagen bestelde. Ik kon onmogelijk met Robert mee want ik zat daar met een dode man op mijn schoot. En Robert was niet zo erg gekwetst. Ik dacht: waar kan hij beter en veiliger zijn dan in het hospitaal?'

Binnen een week zou Robert zijn twintigste verjaardag vieren. Zijn geschenkjes lagen al klaar.

Katica woonde in het laatste huis van de bloemrijke straat in een dorp nabij Vukovar. Een huis waar stof geen kans kreeg en waar de zon op professionele manier met kleurrijke luiken werd buitengehouden. Katica wilde alles gaaf houden, niks kon haar zorgvuldig uitgestippelde leven verkleuren of ontkleuren. Ook geen zonnestralen. Katica voelde zich een koningin. Ze hield van haar leven. Ze werkte in de kaasfabriek waar ze aan machines stond die geen minuut verstrooidheid toelieten. Op geen enkel ogenblik trof deze monotone bezigheid haar fierheid. Elke dag kwam ze op haar werk als een prinses en elke avond vertrok ze zoals ze gekomen was. Mooi opgemaakt, haar haren in de juiste plooi, de naad van haar nylonkousen in een rechte lijn langs haar been. Thuis waste ze altijd meteen de geur van gestremde melk van haar lijf.

'Ik hoef niet te werken,' zei Katica steeds, 'mijn man verdient goed zijn brood.'

Katica pronkte graag met hun relatieve welstand die vooral haar hartendief Robert ten goede kwam.

De verhouding met haar collega's was wisselvallig. Soms uitbundig, soms koel. Naargelang de roddels, naargelang de achterklap. Katica verdacht hen van afgunst, al liet ze dat niet blijken. Ze had liever dat men haar benijdde, dan dat men medelijden met haar zou hebben.

Katica was niet alleen een koningin in haar huis en tuin, maar ook een keukenprinses en een schoonheidsfee. Aan iedereen die het horen wilde, gaf ze goede raad. In de middagpauze legde ze uit hoe je de ingewikkelde recepten kon klaarmaken terwijl ze terloops vertelde hoe smaakvol de belangrijke bezoekers haar gedekte tafel hadden gevonden. Of ze gaf raad hoe je planten

Katica nog steeds op zoek naar haar zoon

en bloemen moest verzorgen en als voorbeeld verwees ze naar haar beeldige tuin. Of ze toonde hoe je wenkbrauwen kon epileren terwijl ze haar eigen gezicht zorgvuldig in een handspiegeltje controleerde en de complimentjes in dank afnam. Katica bezat de gave van het natuurlijke leiderschap, niemand betwistte haar eventuele gezag. Leiderschap vraagt nu eenmaal om volgzaamheid. Ze vertelde ook graag en veel over haar zoon Robert, haar klein genie dat het heel ver zou schoppen in het leven. Hij studeerde en ging een diploma halen. Dat het moeizaam, heel moeizaam ging, vertelde ze er niet bij. Robert trof het niet altijd met zijn leraars.

Over seks praatte Katica nooit. Niemand praatte toen over zo'n delicaat onderwerp. Katica was trouwens niet bepaald happig op het uitoefenen van enige copulatie. Seks was toch een exclusieve mannenzaak! In elk geval een bijzaak. Dat haar man haar nu en dan haar hoofdpijn of weigerachtig gedrag kwalijk nam, was voor Katica niet echt een reden om bekommerd te zijn. Zijn bui ging wel over en als hij

verder wilde genieten van het lekker eten dat hem steevast werd voorgezet en van de
schone kleren die voor hem altijd klaarlagen, moest hij zijn ongenoegen maar voor
zichzelf houden!

Katica kreeg via een verpleegster het nieuws uit het hospitaal dat het herstel van haar zoon goed verliep. Zelf kon Katica niet naar het hospitaal gaan, het centrum van Vukovar was afgesloten. Het nieuws stelde haar hoe dan ook gerust. Ze bleef vertrouwen hebben in het lot van Robert. Ook toen ze helemaal ontdaan met ander vluchtelingen naar Zagreb werd geëvacueerd. Er kwam geen einde aan de bombardementen. Van haar huis bleef niks meer over, een paar stenen, enkele kuilen en wat rookpluimen. Obussen hadden grondig huis gehouden. Alles waar Katica zo aan gehecht was, lag daar nu vermorzeld en verbrijzeld door onzinnig oorlogsgeweld. Het werd duidelijk dat er maar een weg was om uit die hel weg te geraken: een vluchtweg. Samen met buren kwam Katica in een groot gebouw terecht, een voorlopig verblijf, want ook daar was het niet veilig. Met bussen werd iedereen een paar dagen later naar vluchtelingenkampen in Zagreb gebracht. Katica had geen andere keuze, ze ging mee. Al was ze veel liever dicht bij haar zoon in Vukovar gebleven. Maar iedereen verzekerde haar dat hij in het hospitaal heel veilig was.

Katica werd in een school in het centrum van Zagreb ondergebracht. Met een tiental andere vrouwen deelde ze een klaslokaal. Hoe groot haar ontreddering en verdriet ook was, Katica verloor op geen enkel moment haar natuurlijke flair.

Katica: 'In dat vluchtelingenkamp werd ik door een humanitaire organisatie opgemerkt. Ons verblijf in die school verliep nogal chaotisch, ik heb er meteen wat orde in gebracht. Ik bleef ook mezelf verzorgen. De dame die me aansprak zei dat ik haar was opgevallen omdat ik er zo mooi en verzorgd uit zag. Ja, ik liet me niet gaan. Ik heb me toen heel erg voor deze organisatie ingezet, vooral voor de vrouwen van Vukovar. Toen wisten we nog niet wat er in het hospitaal echt was gebeurd. Ik dacht dat mijn zoon was meegenomen naar een gevangenis in Servië. Heel die tijd probeerde ik uit te vissen waar en in welke gevangenis hij zat. Geen enkel moment heb ik gedacht dat hij dood was. Ik dacht steeds: arm kind, hij zit nu ergens om zijn pa te huilen en vraagt zich af waar zijn mama is. Het was al 1992 toen we het verhaal van het ziekenhuis van Vukovar hoorden. Voor mij was dat de aankondiging van de dood van mijn zoon. Heel mijn wereld stortte in en is nooit meer dezelfde geweest. Ik heb met de verpleegster gesproken die hem op de fameuze bussen hielp stappen die hen van het hospitaal wegbrachten. Hij was bijna volledig genezen. De verpleegster vertelde dat Robert helemaal niet angstig was en dat hij er ook vast van overtuigd was dat hij gevangen werd genomen. Tot vandaag hebben ze hem niet teruggevonden. Als moeder blijf ik een beetje hopen. Al weet ik natuurlijk wel dat hij waarschijnlijk nooit meer terugkomt. Ik treur en ik hoop. Omdat ik zo goed wist wat ik meemaakte, heb ik me vanaf 1992 fel ingezet voor de moeders en vrouwen van verdwenen zonen en mannen in Vukovar. Ondertussen heb ik die fakkel doorgegeven. Ik word ouder, mijn enig doel in mijn leven is mijn zoon terugvinden.'

'Is Robert zijn echte naam, Katica?', wil ik weten.

'Ja,' zegt Katica en draait zich weg.

We gaan naar het hospitaal van Vukovar. Voor Katica is het de allereerste keer dat ze ernaartoe gaat. Al heeft ze het honderd keer geprobeerd, ze is er tot dusver nooit in geslaagd om de laatste verblijfplaats van haar zoon te bezoeken.

Dokter Vesna Bosanac

De omgeving van Vukovar is heropgebouwd, het centrum is nog steeds vernietigd. Het hospitaal staat ook gedeeltelijk in de steigers. Daar hebben we een af-

spraak met dokter Vesna Bosanac. In 1997 werd dokter Vesna opnieuw aan het hoofd benoemd van het ziekenhuis. Zij was ook directrice toen in 1991 de zieken van hun bed werden gelicht om te worden vermoord. Ze werd toen meesterlijk misleid. Ze zette zich op een onwaarschijnlijke manier in om de gewonden in veiligheid te brengen. Terwijl ze onderhandelde werden de patiënten uit haar ziekenhuis weggevoerd. Nadien werd de dokter ook van de monsterlijke feiten beschuldigd. Zelfs internationaal kreeg ze het flink te verduren.

Dokter Vesna Bosanac is niet de meest toegankelijke persoon.

Dokter Vesna Bosanac

67

'Ik ben een dokter, geen gids,' was haar eerste reactie toen ik vroeg om haar te spreken en het hospitaal te bezoeken.

En toen: 'Het hospitaal is een plaats voor zieken en geen toeristische plaats.'

Maar de deur is uiteindelijk toch opengaan.

Dokter Vesna is klein en gedrongen. Ze praat vlug en in tegenstelling tot wat ik verwachtte, is ze heel beminnelijk en vertelt ze honderduit. Dat ze een autoriteit is in het ziekenhuis, is duidelijk. Ze toont ons het hospitaal. In de gangen wordt ze door het personeel respectvol begroet. Ongegeneerd opent ze alle ziekenkamers. 'Hier en hier.' De patiënten kijken verrast naar de kleine delegatie. Vreemd genoeg gooit dr. Vesna zelfs de deur van de operatiezaal open. Een jong meisje ligt op de tafel, gewikkeld in groene lakens, haar ontblote buik door een brede rode streep opengetrokken.

De chirurg groet meteen, de verpleegsters knikken vriendelijk.

'Dag mevrouw de directrice.'

'Hier,' zegt dokter Vesna, 'hier opereerden we toen aan de lopende band.'

Ik blijf veilig aan de deur staan, bloederige taferelen zijn niet zo aan mij besteed.

Dr. Vesna neemt ons tenslotte mee naar de kelders waar tijdens de bombardementen de zieken werden naartoe gebracht. Verwrongen bedden en verhakkelde rolstoelen zijn de sporen van het geweld.

Katica moet even tegen de muur leunen, alle kleur is uit haar gezicht weggetrokken.

'Was mijn zoon hier?', vraagt ze ontdaan.

Dokter Vesna knikt, 'waarschijnlijk wel.'

We gaan terug naar het bureau van dokter Vesna. Ze laat koffie brengen, schuift naar het puntje van haar zetel, tikt met de punten van haar vingers tegen elkaar en vertelt...

Dokter Vesna: 'Weet je dat de Serviërs direct na de oorlog dreigden dat ze me voor het tribunaal van Den Haag zouden brengen omdat ik dekens zou hebben geweigerd aan hun gekwetste soldaten? Kom zeg! Ze hebben ook fantasieën uitgekraamd als zou ik in het geheim bloed hebben afgetapt van Serviërs, of Servische kinderen mishandeld. Nu kan ik daar mee lachen, maar die aantijgingen kwamen zwaar aan en stonden bijvoorbeeld op de eerste pagina van een krant in Londen. Internationaal werd ik precies als dokter Frankenstein aangekeken. Gelukkig heb ik alle beschuldigingen kunnen weerleggen. Tijdens de oorlog gaf ik veel informatie door. Iedereen moet weten wat hier gebeurt, dacht ik. Nu zou ik daar omzichtiger mee omspringen.'

Ze kijkt me aan. Ik vraag me af of ze duidelijk wil maken dat ik ook voor haar informatie moet uitkijken.

Onverstoord gaat ze verder.

'In maart 1996 was ik één van de eerste getuigen voor het Internationaal oorlogstribunaal. Daar moet je niet aankomen met leugens. Voor mij was getuigen een hele opluchting, ik was daar heel blij om. Mijn verhaal, hét verhaal vertellen. Want je vraagt je toch altijd af welke rol je zelf speelt in zo'n tragedie. Een mens handelt naar eer en geweten, maar soms vraag ik me af: heeft mijn gedrag tot die vreselijke slachting bijgedragen? In elk geval konden de Serviërs er niet mee lachen dat ik elke dag aan alle mogelijke instanties en vooral aan de media tekst en uitleg gaf over het aantal doden en gewonden dat in het hospitaal werd binnen gebracht. Ik stuurde faxen en belde hen op, gaf gedetailleerde uitleg. Soms hadden we meer dan 60 gewonden per dag. Er vielen 7000 à 9000 obussen per dag op Vukovar. Wie geopereerd was en niet meer kon lopen, brachten we meteen naar de kelder in veiligheid. Ja, Katica, allicht is dat de weg geweest die je zoon heeft afgelegd.'

Het blijft stil. Dokter Vesna kijkt naar Katica. Katica knikt even.

'Ook steeds meer burgers kwamen heil zoeken in het hospitaal. Ontredderde mensen op zoek naar veiligheid en voedsel. Maar het hospitaal werd voortdurend aangevallen. Er vielen zelfs obussen gevuld met fosfor met lelijke brandwonden als gevolg. Een hopeloze situatie. Ik was echt ten einde raad, zoveel patiënten, zoveel personeel en zoveel mensen die heil zochten in het hospitaal. Tenslotte heb ik Ante Markovic, de chef van de regering in Zagreb, opgebeld. Ik kreeg hem niet aan de telefoon.

Ondertussen werden met internationale vertegenwoordigers en het Rode Kruis onderhandelingen gevoerd om de patiënten via een humanitaire corridor uit het hospitaal naar een veiliger plek te evacueren. Vreemd genoeg viel op 17 november alle geweld stil. Geen obussen meer. We hadden dagelijks zoveel aanvallen en toen ineens... stilte. Ik vertrouwde zoveel stilte niet en maakte toch maar de lijsten en dossiers van de zieken klaar en wachtte hoopvol op vertegenwoordigers van het Rode Kruis. Niemand daagde op. Ik belde naar minister Hebrang in Zagreb die me verzekerde dat iedereen op weg naar ons was.

"Ja, maar," vroeg ik, "wanneer?" Goede vraag.

Om 11 uur belden vertegenwoordigers van de EU om me te vertellen dat ze op weg waren, maar niet doorkonden. Het JNA, het Joegoslavische federale leger (het centrale leger vóór de Balkanoorlog, gedicteerd vanuit Belgrado), verhinderde hun doorgang omdat het te gevaarlijk was.

"Maar neen, alles is hier stil," riep ik.

Ik werd kwaad en belde opnieuw naar Minister Hebrang. Hij gaf me gelijk: "We kunnen pas de 19de komen, maar we komen zeker."

Helemaal opgewonden belde ik dan maar naar generaal Raseta van het JNA in Zagreb die me naar kolonel Mrksic door verwees.

Die stelde me gerust: "Ze komen echt de 19de. Zeker dokter."

Maar ook de 19de daagde niemand op. Ik ben tot aan de brug gaan kijken. Wie naar het hospitaal kwam, moest langs die brug. Ik wou absoluut zekerheid dat ik de delegaties niet zou ontlopen. Het enige wat ik zag, waren Servische vrachtwagen en militairen.

"Wat kom je hier doen?", vroeg een militair.

"Ik kom de delegatie van de EU opwachtten," zei ik.

"We hebben niemand gezien," antwoordde hij.

Rond twee uur in de namiddag ben ik nog eens terug tot aan de brug geweest. Niks. Uiteindelijk besloot ik zelf naar Negoslavci te gaan, waar ik misschien wel de meest geschikte personen zou ontmoeten. Iedereen probeerde dat dwaze idee uit mijn hoofd te praten. Toch ging ik en stapte meteen naar het huis van de *etat major*. Op de eerste verdieping had kolonel Mrksic zijn bureau.

Toen ik hem ook vertelde dat er in het hospitaal nog soldaten van het JNA verbleven en ze nog leefden, schrok hij duidelijk.

"Oh, ja? Onze soldaten? Je bedoelt Servische soldaten?"

Hij stelde me direct een andere evacuatieweg voor. Het was een weg die naar Servië leidde. Ik kon dat niet aanvaarden, we hadden een afspraak met het Rode Kruis waarlangs we zouden gaan.

"Er liggen mijnen," reageerde Mrksic.

"Goed," zei ik, "maar ik wacht toch op het Rode Kruis."

Ik was bang dat men iedereen in Servische gevangenissen zouden opsluiten. Toen ik buitenkwam, merkte ik een auto van het OVSE en wilde met hen spreken.

Mrksic leidde me af en zei dat ik me niet ongerust moest maken. Hij riep een eigen chauffeur en liet me meteen terug naar het hospitaal brengen. Onderweg zag ik een lange rij burgers op de vlucht. Tot mijn verrassing liep ook mijn moeder tussen de rijen.

"We zijn weggejaagd," vertelde ze me, "iedereen is op weg naar een hangaar in Velepromet."

Ik nam mijn moeder mee naar het hospitaal. Ondertussen was er totale paniek ontstaan. Ook de gewone mensen die er schuilden werden weggebracht. In de namiddag (rond vijf uur) kwamen eindelijk een paar dokters van het internationale Rode Kruis. Onder hen dokter Nicolas Borsinger, hij had een vrachtwagen vol medicijnen mee.

"Morgen komen we terug," zei hij, "maak alles maar klaar voor de evacuatie."

"Blijf hier vannacht," smeekte ik.

Ze weigerden. Ik had al een viervoudige lijst met de namen van alle zieken en gekwetsten gemaakt en wou er één aan dr. Nicolas geven en drie houden. Commandant Sljivancanin nam mijn lijsten af.

"Staat het personeel daar ook op?"

Ik heb dan maar iemand de opdracht gegeven om de lijst van het personeel te maken.

De lijsten werden aan commandant Sljivancanin en aan dokter Nicolas Borsinger van het RK gegeven.

Het was dinsdagavond, laat in de avond, iedereen wachtte angstig en vol spanning af. Toen kwam een jonge soldaat van het JNA en ik moest direct terug mee naar Negoslavci. Ik dacht: "Mrksic wil me zien." Ik werd inderdaad naar de *état-major* gebracht. Mrksic was er niet, wel commandant Sljivancanin en nog een andere militair. Die commandant Sljivancanin was altijd heel onaangenaam.

"Ga zitten."

Het zou een kruisverhoor worden.

"We hebben niet alle namen van gewonden gekregen, er zijn er meer. Uw lijst is niet compleet, we willen alle namen."

"Wat bedoel je? Ik weet van niks," antwoordde ik.

Toen pas werd hij heel kwaad. Sljivancanin kwam vlak voor me staan, zijn gezicht dicht tegen mijn gezicht.

"En," schreeuwde hij, "weet je soms ook niet hoeveel jonge Servische soldaten door de Kroaten werden vermoord?"

Ik antwoordde: "Ik ben dokter, geen militair."

"We weten alles over je, we weten dat je voortdurend naar Zagreb belt," hij sprak langzaam alsof iedere lettergreep belangrijk was.

"Natuurlijk," reageerde ik, "je hebt gelijk, dat is absoluut zo, iedereen in het hospitaal was in paniek. Trouwens," vervolgde ik, "weet je dat het volgens internationale wetten verboden is om een hospitaal te bombarderen?"

Hij antwoordde dat hij al mijn gesprekken had laten opnemen en dat ik voor de rechtbank zou moeten komen.

"Tudjman (*cfr. toenmalig president van Kroatië*) zal nog geld voor je geven," zei hij.

"Dat zou me verwonderen, want ik ben maar een gewone dokter."

Sljivancanin kon er niet mee lachen.

"We spreken morgen verder, vannacht blijf je hier."

Daarvan schrok ik toch. Ik wilde absoluut terug naar het hospitaal. Ik smeekte om me te laten gaan.

"Te gevaarlijk buiten."

Ze brachten me naar een school in Negoslavci. 's Morgens om zes uur werd ik opgehaald en terug naar het hospitaal in Vukovar gebracht. Een jonge soldaat moest me voortdurend bewaken. Als een schaduw, hij week geen seconde van mijn zijde. Er werd me ook verboden naar buiten te gaan. Toen daagde commandant Sljivancanin op en beval alle dokters en verplegers naar mijn bureau te roepen. Het was 7u30 in de morgen. Uiteindelijk werden we verzameld in de zaal waar we normaal de gebroken armen en benen plaasterden.

"Vukovar is vrij," kondigde de commandant aan, "ik neem het commando van het hospitaal over. En jij, jij bent geen directrice meer."

Hij wees met zijn vinger naar me.

"Het personeel dat wil blijven, moet bereid zijn onder Servisch gezag te werken."

Stilletjes hoopte ik nog dat iemand van het Rode Kruis zou opdagen. Maar ze kwamen me opnieuw halen en ik moest mee naar een kazerne in het zuiden van Vukovar. Ik werd in een ruimte opgesloten. Een jonge soldaat zei dat ze binnen een half uur zouden terugkeren. Het werd een vreselijk lange dag. Pas om zes uur 's avonds ging mijn deur open.

"Je had gezegd een half uur!"

"De plannen zijn veranderd, de evacuatie is volbracht."

"Waar is het Rode Kruis?"

Geen antwoord, ik werd naar de benedenverdieping gebracht en moest er een verklaring afleggen.

"Over wat?"

"Over de situatie van het hospitaal in Vukovar."

Er zat ook een vrouw in het militaire gezelschap. Op het einde van mijn verhaal sprong ze recht: "Je hebt niet alles verteld, je hebt veel meer gedaan dan wat je daar toegeeft."

Voor ik kon antwoorden, brachten ze me naar buiten en moest ik in een soort gevangeniswagen stappen. In die auto zat ook dokter Jurak Njavro, een collega van mij, en de technieker, Anto Aric, die als vrijwilliger uit Zagreb was gekomen. We waren dus alle drie gearresteerd. Ik moest ontzettend naar het toilet, maar niemand wou stoppen. Ze brachten ons uiteindelijk naar de gevangenis van Sremska in Mitrovica in Servië.

Het was donderdag drie uur in de ochtend. Anto werd heel zwaar geslagen. Tot hij er bij viel. Ik protesteerde, maar ze reageerden heel arrogant. Een vrouwelijke politieagent heeft me meegenomen, ik moest al mijn kleren uit trekken. Ze moest me grondig controleren.

"Waarom? Wat gebeurt er?"

"Vraag dat aan het leger," zei ze.

Een andere bewaakster heeft me naar een kelder gebracht in een vuile cel zonder venster. Daar heb ik de rest van de dag en de nacht doorgebracht. Ik vroeg 's morgens naar een officier. Ik werd naar Commandant Sljivancanin en kapitein Zoric gebracht.

"Waarvan word ik hier beticht?"

"Maar je bent nog niet beticht," zeiden ze.

"Waarom ben ik dan hier?"

"We gaan je bij de vrouwen brengen."

"Welke vrouwen, ik wil niet bij vrouwen die moorden."

"Neen, neen," reageerden ze, "het zijn vrouwen van Vukovar."

Het waren inderdaad zo'n vijftigtal vrouwen en kinderen van Vukovar, die van hun mannen en zonen gescheiden waren. Zij herkenden me. Ik was wat gerustgesteld.

Tenslotte werd ik 18 dagen in Sremska Mitrovica vastgehouden en nog drie dagen in een gevangenis in Belgrado. Daar was ook een grote groep verzameld, dokters en verplegers en zelfs mijn man die tot dusver als ingenieur in Borovo Naselje werkte. We hadden gehoord dat 184 gekwetsten van ons ziekenhuis geëvacueerd waren, we dachten dat ze in het hospitaal van Mitrovica waren. Ze hebben me drie dagen ondervraagd. Ik wou geen advocaat, maar ze kwamen met een jonge Servische soldaat die rechten gestudeerd had. Ik heb opnieuw een verklaring afgelegd. Ze moesten over alles nadenken, want ze wisten dat ik via telefoon en fax de Serviërs als de agressors had aangeduid.

Die dag moest ik tot 's avonds wachten en dan zouden ze me komen zeggen of ik al dan niet beschuldigd was.

De volgende morgen hebben ze ons allemaal vrijgelaten.'

'Dokter Vesna wat was er ondertussen met uw moeder gebeurd?' onderbreek ik haar verhaal.

'Mijn moeder en schoonmoeder werden door een bevriende dokter, een Serviër, naar Zagreb meegenomen.'

Haar schoonvader en neef werden later als slachtoffers van het massagraf van Ovcara geïdentificeerd.

'Dokter,' wil ik weten, 'hebt u van heel die gebeurtenis trauma's overgehouden? Kunt u nu nog normaal functioneren?'

Dokter Vesna: 'Het is voor mij nog altijd alsof alles gisteren gebeurd is. Het is moeilijk om nog gelukkig te zijn. Ik heb me als een gek gedragen. Overal rondlopen en hopen, terwijl ze achter mijn rug mijn patiënten vermoordden. Telkens ik aan al die onschuldige slachtoffers terugdenk, is alle geluk weg. Soms ben ik dagen na elkaar echt *down*. De pijn zal misschien ooit wel verminderen, maar ik zal nooit kunnen vergeten. Soms probeer ik de gebeurtenissen te begrijpen, zoek ik schuld en onschuld bij alle partijen. Ach, alles heeft me heel erg verouderd. Ik heb nu een kleinzoon van vijf jaar. Voor hem probeer ik toch wat dynamisch te zijn. Ook voor het personeel hier. Wat hebben ze aan een verbitterde directrice?'

'Dokter Vesna, mogen er Serviërs binnen in uw hospitaal?', vraag ik.

Dokter Vesna zet zich plots recht: 'Het is hier een ziekenhuis, geen nationaliteitenbureau,' antwoordt ze heel gepikeerd.

En dan wat zachter: 'Maar de daders van deze moordpartij, die komen hier nooit meer binnen. Niet zolang ik het hier voor het zeggen heb.'

Het hospitaalverhaal

Het verhaal van dokter Vesna krijgt een tragische dimensie. Want het echte hospitaalverhaal speelde zich af terwijl ze rusteloos op de officiële vertegenwoordigers wachtte. Eenheden van het JNA kwamen in de namiddag van 19 november 1991 in het hospitaal aan. Meteen namen ze het commando over het hospitaal over. Er werd geen weerstand geboden. De volgende ochtend werd onder leiding van commandant Sljivancanin een vergadering belegd met het ziekenhuispersoneel, waar ook dokter Vesna aanwezig was. Terwijl die vergadering aan de gang was, hebben soldaten van het JNA zo'n 400 zieken en gewonden uit het ziekenhuis geëvacueerd.

Twee uur lang moest een aantal zieken in de bussen blijven wachtten. Een deel had de bussen mogen verlaten omdat bij controle bleek dat ze tot het verplegend personeel behoorden. Daarna werd met de bussen naar een boerderij in Ovcara, zo'n vier kilometer van Vukovar, gereden.

De mannen moesten in twee rijen naar een hangaar van een boerderij lopen, terwijl ze werden geslagen. Twee zijn gestorven, en zeven zijn vrij gelaten. Daarna werd een lijst opgesteld met informatie over de identiteit van de gevangenen. De mannen werden in groepjes van tien à twintig verdeeld, waarna ze met vrachtwagens werden weggevoerd.

Die vrachtwagens reden naar Grabovo, ongeveer anderhalve kilometer van de boerderij. Op 900 m van de weg van Ovcara naar Grabovo werd een veldweg tussen de bossen ingeslagen. Daar werden alle mannen gedood, waarna de lichamen met een bulldozer in de grond werden gestopt. Van de driehonderd mannen die werden meegenomen, werden er nadien 261 als vermist opgegeven. Tweehonderd zijn gevonden, de anderen zijn nog steeds vermist.

Het duurde tot mei 1992 eer informatie over deze moordpartij werd vrijgegeven. In 1998 werden de slachtoffers op het kerkhof van Vukovar begraven.

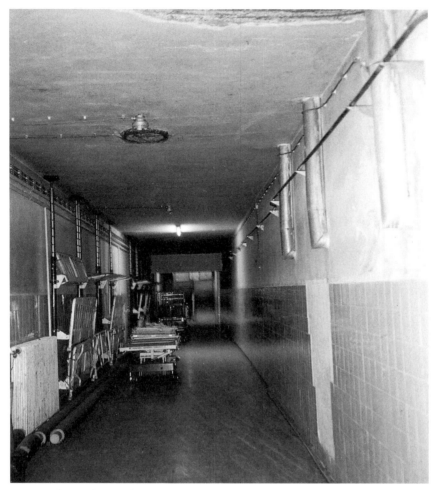

Hospitaal in Vukovar, de gang naar de dood

Voor we Vukovar verlaten, wil Katica de plaats tonen waar ooit haar huis stond. Ivan reageert eerst weigerachtig om met zijn bus een andere route te nemen, maar laat zich dan toch overhalen.

In de straat zijn alle huizen heropgebouwd. Het is al laat en overal brandt licht waardoor we inkijk in knusse familietaferelen hebben. Gedekte tafels, pratende mensen.

'Die hadden allemaal het geluk nog mannen in de familie te hebben, ze konden opnieuw bouwen. Aan wie had ik dat moeten vragen?', zegt Katica.

We stoppen voor een open plek, het puin is geruimd.

'Hier stond mijn huis,' zegt Katica en zucht heel diep. Ergens blaft een hond.

Korte geschiedenis van de gebeurtenissen in Vukovar

Tito, de leider van de communistische regering, steeds bekommerd om het verhinderen van een overwicht van één bevolkingsgroep binnen de federatie Joegoslavië, overleed in 1980.

Door de glasnost van Gorbatsjov viel eind jaren tachtig het communisme bijna helemaal uit elkaar. De Berlijnse Muur die de lijn moest trekken, werd in 1989 naar beneden gehaald. Het wakkerde het sluimerende onafhankelijkheidsgevoel van heel wat volkeren aan.

Kroatië had in het voorjaar van 1990 verkiezingen gehouden.

De HDZ (opgericht op 17.07.1989) onder leiding van Franjo Tudjman, won overweldigend de verkiezingen.

Een jaar eerder had Tudjman een boek geschreven: 'Bespuca-Povesjne' waarin hij de concentratiekampen in vraag stelde en vond dat de gruweldaden die tegenover de Serviërs waren gepleegd schromelijk overdreven werden.

Op 25 juni 1991 verklaarde Kroatië zich na Slovenië onafhankelijk, waardoor grote onrust ontstond onder de Servische minderheden die ondermeer in de Krajina, Kroatië, woonden.

De Servische Slobodan Milosevic en zijn communistische regering namen de eenzijdige beslissing van de onafhankelijkheid van Slovenië en Kroatië niet.

Servië viel op 27 juni 1991 Slovenië aan, maar trok zich op 18 juli 1991 al terug.

In Vukovar waren ondertussen ook ernstige schermutselingen tussen Kroaten en Serviërs aan de gang.

In de Borovo Combine fabriek in Vukovar werden alle Serviërs ontslagen. Ook bij de overheidsdiensten, bij radio Vukovar en de krant verloren alle Serviërs hun baan.

Eind augustus 1991 kregen de Serviërs steun van het JNA (Joegoslavische volksleger of Jugoslavneska Narodna Armija).

Uiteindelijk werd de stad Vukovar omsingeld.

Op 18 november 1991 viel Vukovar in handen van de Servische Guards Brigade. De Kroaten onder leiding van Mile Dudakovic gaven zich over.

Kolonel Mile Mrksic was verantwoordelijk voor de operatie Vukovar. Veselin Sljivancanin nam uiteindelijk het commando over.

Vukovar telde voor de oorlog 84.189 inwoners, waarvan 36.910 Kroaten, 31.445 Serviërs en 15.834 andere nationaliteiten.

DEEL 2

De ongelooflijke reis door Bosnië-Herzegovina

Sarajevo en het drama Srebrenica

In het appartementje van Nanou's moeder, madame Rousseau, in het Franse Béthune, praten Nanou en ik over mijn toekomstige trip naar Sarajevo.

Nanou's moeder, een voormalige schooldirectrice, is heel oud en zwaar ziek. Ze hapt moeizaam naar adem, maar verliest haar Franse koketterie niet. Elke morgen worden haar enkele bloesjes en rokken voorgesteld en meestal kiest ze iets met *'une dentelle blanche'*.

'Dat staat me goed,' zegt ze dan moeilijk. Om haar te begrijpen moet je al in ziekenzorg geoefend zijn.

Grenzen waren voor Nanou en mij geen belemmering voor onze vriendschap, die al meer dan een kwarteeuw duurt. We delen niet alleen veel idealen, zoals een vrouwenhuis dat we recent in het vrouwonvriendelijke Afghanistan hebben gebouwd, maar ook onze betrachting om toch enigszins van het leven te genieten. Omdat we gelijklopende karaktertrekken hebben, volgen nogal eens discussies waarbij we onze stem verheffen. Alle woordenwisselingen worden echter altijd met een glas wijn of champagne afgesloten. Het is de meest aangewezen bezegeling van vriendschap, nooit zijn we in ruzie uit elkaar gegaan.

Hoe dan ook, vrouwenrechten blijven ons engagement. Persoonlijk heb ik het geluk gehad om mijn strijd voor vrouwrechten jarenlang in krantencolumns te kunnen omzetten. Toch nog belemmerd door enige schroom tekende ik jaren geleden mijn stukken met Ifigenia. Sommige thema's lagen zelfs begin jaren tachtig nog altijd heel betwistbaar. Toen ik in 1980 een stuk binnenbracht waarin ik via een verhaal van een lesbische vriendin op de onrechtvaardige behandeling van die bevolkingsgroep wees, brieste de hoofdredacteur me bijna de haren van het hoofd. De storm ging liggen, het stuk werd gepubliceerd, de bevolkingsgroep in kwestie was me dankbaar en de volgende week schreef ik een nieuw stuk. Je vraagt je soms af hoeveel en welke inspanningen precies helpen.

Françoise, de oudere zus van Nanou, is ook aanwezig op het appartementje van madame Rousseau. Françoise is een geschoolde pianiste. Jaren conservatorium hebben haar een prille muzikale carrière bezorgd die ze echter voor de zorg voor haar gezin en een obligaat verblijf in Algerije aan de kant heeft geschoven.

Ze zet zich echter ook allang in voor mensenrechten en als ze over mijn plannen hoort om naar Sarajevo en Srebrenica te gaan, wil ze me vergezellen. Sarajevo kent ze goed. Ze heeft het verschillende keren bezocht. Weliswaar na de oorlog.

We besluiten om met de auto te reizen omdat we op die manier vrij zijn om afspraken te maken en die eventueel aan te passen. Met de TGV uit Rijsel zal ik naar Dôle in de Jura rijden, waar Françoise woont. Vanaf de Jura zullen we met haar auto verder trekken.

'Je hoeft je niks aan te trekken,' zegt Françoise, 'ik bereid alles voor.'

Voor mij is dat een hele opluchting, in mijn drukke agenda zie ik niet zoveel ruimte om kaarten uit te pluizen en afstanden te berekenen. Alleen heb ik er niet bij stilgestaan dat Françoise met voorbereiding enkel voeding en andere comfortabele toestanden bedoelde. Toen we vertrokken, stak haar wagentje propvol eten, dekbedden en geschenken voor de Bosniërs. Zoals 48 potten confituur die ze van een groothandel had gekregen en die we hier en daar zouden uitdelen.

We hadden bij manier van spreken onze eigen keuken, slaapkamer en gezien het aantal flessen water, onze eigen badkamer aan boord. Er lag ook een wegenkaart van Europa onder mijn zetel, maar die moest nog worden geopend. En dat allemaal in een tweedeurs, tien jaar oude Citroën AX. Een klein wagentje rijkelijk versierd met roestplekken.

Maandagmorgen
Thuis zit ik rustig aan het ontbijt, mijn benen opgetrokken terwijl ik de ochtendkranten uitpluis. De bloemen kregen voor mijn eerste dagen afwezigheid al voldoende water, ook de afspraken voor de verzorging van mijn kat zijn gemaakt. Mijn bagage staat klaar en deze namiddag vertrek ik met de trein naar Frankrijk.

Mijn gsm ligt zoals steeds binnen handbereik. Draagbare telefoons kunnen levensaders zijn of vervelende rustverstoorders.

Nanou's stem klinkt nogal dramatisch. 'Haar moeder,' denk ik meteen. De gezondheidstoestand van '*maman*' hangt als een dreigende wolk over onze reis naar Bosnië.

'Non, non,' zegt ze, 'niet mama, maar Françoise. Ze stond je gisterenavond in het station van Dôle, (Besançon) op te wachten!'

'Wat?', vraag ik verrast. 'Gisteren? Ik vertrek toch vandaag!'

Het begint goed, we hebben elkaar verkeerd begrepen. Volgens mijn plan vertrek ik de derde mei bij mij thuis, volgens de optie van Françoise is dat precies de dag dat we van bij haar richting Bosnië vertrekken. Een deel van de afspraken moet een dag worden verschoven. Ik voel me bijzonder klein en schuldig en als ik in de loop van de dag de trein naar Dôle neem, heb ik nog wat extra geschenkjes voor Françoise op zak. Gewoon om haar wat te paaien.

'Het ergste,' zegt Françoise als ik eraan kom, 'het ergste zijn mijn quiches en mijn cake.'

Het hele weekend heeft ze gebakken om ons de eerste dagen van lekkere dingen te voorzien.

'Een quiche van een dag oud is nog altijd bijzonder lekker,' troost ik.

Met veel goede moed probeer ik nog mijn bagage in de overvol geladen auto te stoppen.

'Halen we daarmee Sarajevo?' vraag ik voorzichtig. Françoise klopt even op het dak van haar wagentje: *'C'est la meilleur des bagnoles.'*

Gedurende de rit van meer dan 5.000 km zal ik ondervinden hoe erg de discriminatie tegenwoordig op de wegen is. Vooral Noord-Italië valt tegen. Mercedessen, BMW's, Lancia's en Alpha Romeo's maken ons lichtenflikkerend of claxonnerend duidelijk dat we met ons autootje het supersnelle verkeer hinderen en dat we een valse noot in het flitsende verkeer zijn. Soms kunnen we ermee lachen, nu en dan maak ik me kwaad en heb ik de neiging mijn middelvinger op te steken. Mijn opvoeding weerhoudt me en soms is dat spijtig, want zoiets lucht op.

Dinsdag

Het is lang geleden dat ik koffie op bed kreeg. Hoewel de hanen nog niet kraaien en het pas 4u30 is, brengt Gigi (Gilbert), de echtgenoot van Françoise, een kopje koffie. Hij klopt heel voorzichtig op de deur. *'Je peux?'*, vraagt hij, en maant me aan op te staan. Hij haalt me eigenlijk uit een heerlijke droom, waarvan ik me niks herinner tenzij dat het plezant was.

'Ik heb waarschijnlijk van Adamo gedroomd,' vertel ik wat later tegen Françoise.

'Adamo?', vraagt ze verwonderd. Françaises zijn niet zo goed thuis in ons showbizzaanbod, zelfs niet als het Franstalig is.

Als ik plezant droom, maakt Adamo daar soms deel van uit. Vraag me niet waarom. De arme man heb ik slechts één keer ontmoet. In een C130 van het leger op weg van Tirana naar Brussel. Hij was met een Unicef opdracht de oorlogsslachtoffertjes in Kosovo gaan bezoeken. Ik heb Adamo verteld dat ik zijn muziek wel appreciëerde. Hij glunderde. Ik heb hem niet durven vertellen dat ik nu en dan van hem droom.

We vertrekken om 5u30 want we zouden al kort na de middag in Zagreb zijn. Dat is tenminste wat Françoise voorspelt.

'Kijk eens op de kaart hoe we best rijden,' zegt Françoise achteloos alsof we een hoekje omrijden.

We moeten door Zwitserland, langs de Simplonpas, door het noorden van Italië, via Slovenië, Kroatië en de volgende dag Bosnië. De moed om meteen het aantal kilometers uit te rekenen ontbreekt me, maar laat ons veronderstellen dat we 's namiddags in Zagreb aankomen.

We spreken af om de twee uur het stuur van elkaar over te nemen. Het draait anders uit. Françoise heeft een probleem met haar rechteroog. Ze ziet niet zo goed en eerlijk gezegd vertrouw ik dan liever op mijn eigen ogen. Haar gezelschap is echter bijzonder prettig en onderhoudend. We praten over het verleden en de toekomst. En omdat we regelmatig stoppen om te eten van alle heerlijkheden die Françoise heeft meegebracht, krijg ik regelmatig nieuwe en makkelijke recepten toegeschoven. Want Françoise is behalve een boeiende dame, ook een echte keukenprinses.

Bovendien gelooft ze dat er meer is tussen hemel en hel. Aan het bestaan van God twijfelt ze niet. Karma's en andere verlichte toestanden zijn haar niet vreemd. *L'univers infini* aanroept ze voortdurend voor alles en nog wat. In de auto hangt een paternoster die Françoise regelmatig voor bijstand en hulp aantikt.

Soms moet ik daarom lachen, of maak al eens een cynische opmerking, wat niet altijd in dank wordt afgenomen. Op den duur lach ik enkel nog bij mezelf.

Geteisterd door felle regenvlagen, puffen we over de Simplonpas met de heilige belofte dat we langs een andere kant terugkeren. 'Koste wat het kost.' Want de grens met Zwitserland en Italië overschrijden kan een dure aangelegenheid zijn, net als de autowegen in Italië. Wij rijden voorbij steden als Milaan, Padua en Venetië. Het zet me aan het dromen.

Pas rond 18 uur bereiken we Postonjna, de grens met Slovenië. De douane van Slovenië doet ons stoppen.

'*Univers infini*, maak dat de douane niks opmerkt van onze goederen,' smeekt Françoise.

Ik probeer het met een verleidelijke glimlach, het helpt ook niet. Op mijn leeftijd komt dat eerder komisch over. De douanebeambte neemt zorgvuldig de tijd om alle goederen in onze auto te inspecteren. Hij zegt geen woord en concentreert zich tenslotte op mijn paspoort.

'Ja maar,' protesteer ik, 'jullie zijn nu toch bij Europa?'

Hij heeft er geen oren naar. Naast hem staat een, allicht nieuwe, collega en zorgvuldig legt hij uit waarop de man allemaal moet letten. Hij wijst mijn naam, mijn foto en mijn geboorteplaats aan. De leerling-douanier knikt. Een paar passen achter hen staat een man van Arabische afkomst. Wat onwennig lacht hij naar ons. Plots hoor ik de douanebeambte tegen de Arabische man zeggen: 'You see, this OK!' Hij klopt op mijn paspoort. *'Your's not good, Marocco not good.'* Het gezicht van de Marokkaanse man betrekt. Wij mogen verder rijden in het nieuwe stukje Europa. De Marokkaan blijft hulpeloos staan. Zijn glimlach is weg.

'Naar Zagreb nog ongeveer honderd kilometers,' zegt Françoise.

Het zijn er ongeveer driehonderd. Om 21u30 komen we uiteindelijk bij Caroline Socie in Zagreb aan. We hebben, weliswaar met tussenstops, ongeveer zestien uur aan een stuk gereden. Mijn benen voelen slap aan als we uitstappen.

Caroline is een jonge, vlotte Française die op de Franse ambassade werkt. Zagreb spreekt haar heel erg aan. Ze heeft al een Sarajevo-missie achter de rug, haar Kroatisch avontuur loopt in 2005 af. Daarna hoopt ze op een nieuw diplomatiek aanbod.

In het centrum van Zagreb heeft ze een fraai appartement in een oud herenhuis. Hoog plafond, kleine vensters en hier en daar pleisterwerk dat naar voorbije eeuwen wijst. Er staat een enorme piano en niettegenstaande we doodvermoeid zijn, speelt Françoise meteen enkele mooie sonates. Ze kijkt me olijk aan en laat haar vingers spelend over de toetsen glijden.

'Zie eens hoe fit ik nog ben,' plaagt ze.

Caroline wou ons gretig haar bed afstaan. Zijzelf slaapt op een sofa, diep teruggetrokken onder een beeldig dekbed. Via onze gsm hadden we haar laten weten dat we zelf het avondmaal bij hadden. Toch heeft Caroline een heerlijke salade gemaakt. De witte wijn bezorgt me een licht hoofd en een diepe slaap.

Woensdag

We vertrekken om 8 uur en rijden via de autoweg van Zagreb naar de grenspost met Bosnië: Slovanksi Brod. Onderweg hebben we nogal wat moeite om benzine te vinden. Het eerste benzinestation is door wegenwerken afgesloten, het tweede heeft geen benzine en aan het derde station zijn we precies midden een misdaadverhaal beland. Er is blijkbaar een moord gepleegd, want vlak achter de benzinepompen merken we twee bewegingsloze voeten. Een politieman maakt een nors gebaar waarmee hij duidelijk maakt dat we er niet welkom zijn. Ach, het is voor ons een welkome afleiding in het monotone kilometers rijden. We maken ons vrolijk en verzinnen alle mogelijke moordverhalen. Morse en Frost zijn bij onze zuiderburen niet zo bekend, dus lossen we de misdaad met de bij Belgen en Fransen bekende Maigret op.

De pret duurt niet lang, Françoise krijgt bericht dat het met 'maman' slecht gaat. Ze huilt stilletjes, ik rij verontrust verder. Net voor de middag overschrijden we eindelijk de grens met Bosnië.

De wegen in Kroatië waren tot dusver behoorlijk goed, de littekens van de oorlog waren meestal met plakwerk hersteld. Nu komen we in een land waar de oorlog absoluut niet is uitgewist. Het is alsof we in een andere wereld belanden. Meer dan tien jaar geleden was de grens naar Bosnië de poort naar de hel. Nu is het de poort naar stilte en bevreemding. Geen salvo's uit machinegeweren, geen ontploffingen, geen gevaarlijke granaten. Maar de ontreddering en vernieling zijn gebleven. Geen gemoedelijk keuvelende vrouwen langs de straat, geen vrolijk spelende kinderen. Langs de weg van Slovanksi Brod naar Derventa, zijn alle huizen nog steeds verwoest. Alleen de natuur heeft zich in die tien jaar niet onbetuigd gelaten en zich overmoedig over ruïnes geslingerd. Een beangstigend beeld dat de volgende dagen alleen maar wordt bevestigd. Langs de zijkant van de weg hangen overal borden die argeloze wandelaars voor het gevaar van mijnenvelden moeten waarschuwen. Het is nu meer dan tien jaar later en in Bosnië werden de mijnen niet opgeruimd.

Via Derventa, Doboj, Maglaj rijden we naar Sarajevo. Kort na de middag komen we er aan.

'Welcome to Sarajevo', 'Sarajevo mon amour', het zijn lyrische titels van films of boeken die helaas de hel van de meest geteisterde stad van de Balkanoorlog nooit kunnen weergeven. Sarajevo herpakt zich. Maar moeizaam. Heel moeizaam. Nog altijd met de sporen van ontelbare kogelinslagen en niets ontziende granaten. Al wijst Coca Cola via grote reclameborden op de vreugde van het leven en maken torenhoge nieuwe bankinstellingen zich op voor betere tijden. Ook op de bewuste 'Sniper Avenue' rijdt het verkeer onbekommerd van stoplicht tot stoplicht. Het is duidelijk dat het geld dat door het Westen massaal naar Sarajevo is gestuurd, in elk geval niet in het openbaar vervoer werd geïnvesteerd: de trams zijn roestige karkassen waarin mensen wezenloos naar een onzekere toekomst zitten te staren.

We verblijven in het appartement van Nejrema Omeragic dat aan de Salke Nezecica in Dobrinja gelegen is. Het was één van de drie meest belegerde buurten van Sarajevo. De appartementenblokken die speciaal voor de Olympische Spelen van 1984 werden gebouwd, waren het doelwit van sluipschutters in een onzinnige oorlog, nu zijn ze de schuilplaats voor wrange herinneringen.

Haar dochter Ermina, die hoogzwanger is, staat ons op te wachten. Ermina heeft een poosje in Frankrijk gestudeerd. Rechten, zoals zoveel jonge getraumatiseerde Bosniërs die ervan overtuigd zijn dat je je rechten best zelf kan verdedigen.

De stemming ten huize Omeragic is allesbehalve vrolijk. Mama Nejrema is net vandaag bloed gaan geven, zodat men via DNA-onderzoek haar vermoorde zuster en nichtjes zou kunnen identificeren.

Sinds enkele jaren is er een nieuwe drukke activiteit aan de gang in Bosnië. De aarde wordt omgewoeld, er wordt massaal gegraven. De zoektocht naar massagraven is big business. Deskundig worden beenderen afgeborsteld en met een identificatiekaartje voorzichtig naast elkaar gelegd. Halve en hele lichamen worden opnieuw samengesteld. DNA is de wetenschap die het verdriet zekerheid geeft.

Mama Nejrema: 'Mijn zus woonde in Foca, ten zuidwesten van Sarajevo, toen in juni van 1992 een Serviër aanbelde. Hij kwam het appartement opeisen. Ze hadden de stad al zwaar belegerd en namen die deel per deel in. Wat moest mijn zuster doen? In feite leefden we in die periode in dezelfde situatie, ook zij kon al een tijdje haar huis niet meer uit. De Serviërs hadden haar in het bijzijn van haar twee dochtertjes een paar dagen voordien verkracht. Na zo'n ervaring kan je echt niet meer helder denken. Toen ze terugkwamen en ze werden weggestuurd, reageerde mijn zus gelaten. Een maand later, op 13 juli, werden nog meer inwoners van Foca gewelddadig meegenomen en naar het Partizan sportcentrum gebracht. Een kamp waar alle vrouwen brutaal werden verkracht. De man van mijn zus was al vroeger opgepakt en naar het Kaznen-popravni Dom de Foca kamp gebracht. Dat was een kamp waar heel wat mannen vastzaten en waarvan men toen al bijna zeker wist dat ze het niet zouden overleven. Toen de Serviër bij mijn zus aanklopte om haar appartement op te eisen, had hij een papier bij. "Tekenen!", commandeerde hij. Mijn zuster tekende de papieren en stond op die manier haar appartement af. Ze belde me en vertelde heel gehaast: "Ik heb ons appartement afgestaan, ik moest tekenen en nu moeten we vertrekken. Ik weet niet of we hier levend uitkomen..." Ik riep: "Wacht even, wacht even." Ze had al ingehaakt. We hebben niks meer van haar gehoord. En nu, twaalf jaar later, zullen we officieel zekerheid krijgen of mijn zus en haar kinderen dood zijn. Dan heb ik tenminste al een antwoord op één vraag. Maar de omstandigheden? Wat hebben mijn zus en haar kinderen nog allemaal meegemaakt? Dat zal wel een geheim blijven, een geheim dat nog dagelijks aan mijn hart knaagt. Met die onderzoeken die nu aan de gang zijn, lijkt het of het allemaal gisteren is gebeurd. De wonde ligt opnieuw open. Ik droom weer elke nacht van mijn zus.'

Mama Nejrema, zucht diep, ze staat op en hinkt naar de keuken. Haar linkerbeen en heup zijn al in het begin van de oorlog (1992) weggeschoten. Prothesen ondersteunen nu haar bewegingen.

Ermina: 'Er waren naast de Sniper Avenue nog twee geviseerde plaatsen in Sarajevo waar de sluipschutters tekeer gingen. En onze appartementen waren daar één van. Als er iemand buitenkwam, werd die zeker doodgeschoten. Zo werd papa voor de deur van het appartement doodgeschoten. Dat is wat men vertelt, want we hebben zijn ontbonden lijk pas veel later in een vuile greppel teruggevonden. Het was toen een angstige periode, ook wij zijn toen drie maanden binnen gebleven, van het begin van de oorlog tot eind juni 1992. Haast dood van de honger. Hoe we dat overleefden, weet ik niet. Ik was amper 13 jaar, maar ik herinner me dat we heel zorgvuldig elke kruimel moesten opeten. Er waren periodes dat er helemaal geen eten meer was. We mochten ook nooit dicht bij een venster komen. Dat was levensgevaarlijk. Daarom vermeden we het grote raam aan de voorkant van de woonkamer. Op een dag had ik voor mama een mooie tekening gemaakt en ik wou haar dat absoluut tonen. Het was bijna donker en we hadden geen elektriciteit. Om mij plezier te doen, liep mama toch heel even naar dat raam. Een paar seconden later lag ze bloedend op de grond. Haar been in een vreemde draai. In de ruit was gewoon een gat. Er lag wat glas op de grond. Mijn broer, Ermin, is naar het appartement van de buren gesneld. Het heeft heel lang geduurd eer er een ambulance kwam. Daarna waren mijn broer en ik hier alleen en hebben de buren zich over ons ontfermd.'

De plaats van het onheil wordt in de woonkamer nu nog altijd vermeden. Er staan geen meubels aan de voorkant van de woonkamer, alsof het gevaar van sluipschutters nog altijd dreigt.

Ermina: 'Neen, dat weten we wel, die nachtmerrie is gelukkig voorbij. Maar sinds die dag vermijden we het om op die plaats te lopen. Het halveert de woonkamer, maar voor ons is dat een familietrauma, we willen echt geen voet zetten op de plaats waar mama werd neergeschoten. Uit respect voor haar. Zijzelf gaat ook nooit meer voor dat raam staan. Een buurvrouw komt de ruit wassen. Als je eens wist hoeveel mensen in Sarajevo nu nog steeds bepaalde hoeken, kanten of straten vermijden. Je zou raar opkijken. Grond die men niet meer betreedt omdat er bloed aankleeft.'

Mama Nejrema heeft het avondmaal klaargemaakt dat ze in de keuken opdient. Haring, sla en aardappels. Geen wijn, want ten moslimhuize Omeragic drinkt men geen alcohol. Als Françoise echter voorstelt om uit haar auto een goede fles Franse wijn te halen, vindt zoon Ermin dat een prima idee.

Het wordt een interessant tafelgesprek met broer en zus. Oorlogskinderen die één ding zeker weten: nooit meer oorlog! Voor Ermina, die over enkele maanden een zoontje verwacht, zijn de gevolgen van de oorlog nog steeds reëel. Ze is pas het ziekenhuis in Sarajevo gaan bezoeken waar ze straks moet bevallen.

Ermina: 'Direct na de bevalling keer ik terug naar huis. De toestand van de ziekenhuizen in Sarajevo is erbarmelijk. Absoluut geen comfort. Met vijf in een klein kamertje. Of ze laten je gewoon op de gang liggen. Er zijn geen instrumenten, geen medicijnen. Het is schandalig, de oorlog is tien jaar voorbij en er is niks veranderd. Integendeel.'

Ermin heeft ook zijn bedenkingen over de oorlog en zijn naweeën: 'Eén ding is zeker, ik wil dat nooit meer meemaken. Ik zweer het, bij het allerkleinste signaal van een eventueel conflict of oorlog ben ik hier weg.'

Hij knipt even met zijn vingers om aan te tonen hoe weinig er nodig is om zich uit de voeten te maken.

'In 1992 was men soms wat kritisch tegenover al de mensen die zo vlug Sarajevo verlieten. "Ze doen wat de vijand wil, plaats maken," zei men. Wel, ik zou plaats maken, direct, geen minuut nadenken. We voelden het in 1992 niet echt aankomen. Het ging dag per dag. We zaten ernaar te kijken alsof het iets was dat elk ogenblik zou stoppen. We geloofden nooit dat Europa zou toelaten dat Sarajevo op die manier zou worden aangevallen. Maar het gebeurde en elke dag werd het erger en steeds maar erger. En plots konden we niet meer weg. We zaten gevangen en we benijdden alle mensen die gevlucht waren.'

Ermin houdt een lang betoog, hij analyseert de oorlog en vooral de naoorlogse periode: 'Die is zelfs erger dan de oorlog zelf. Voor de oorlog was Sarajevo een multiculturele plek waar het aangenaam was. Nu moeten we afrekenen met massaal drugsgebruik, een brutale criminaliteit die niks en niemand ontziet, een totaal onverschillige jeugd die enkel aan uitgaan en muziek denkt en een grote groep corrupte politici. Je hebt toch zelf gezien hoe Sarajevo eruit ziet? Met moeite staan we op uit ons puin. Heb je behalve reclameborden ergens welstand gezien? Wel, ik vraag je dan: waar is al dat geld gebleven dat het Westen ons tijdens en na de oorlog stuurde? Voor het heropbouwen van wat? Toch Sarajevo niet! Je ziet de appartementen, de voorkant is hersteld, maar je moet eens aan de achterkant gaan kijken. Eén puinhoop. Ik wil je eens meenemen naar de rand van de stad, daar zal je de grote luxeuze villa's zien van de politici die onbeschaamd het geld in hun zak staken. Ik vraag me altijd af waarom het Westen en de zogenaamde hulpverleners niet beter controleren wat er met hun geld gebeurt.'

Ermin is groot, blond en heeft indringende blauwe ogen. Zijn handen zijn slank en verzorgd. Hij werkt als manager voor de internationale pakjesmaatschappij FedEx. Het geeft hem aanzien en internationale vleugels.

Ermin: 'Nu en dan mag ik naar Berlijn. Ik zou graag eens naar Brussel komen. Het komt er wel van. Ik heb een goede job, met veel mogelijkheden. Maar de onverschilligheid van de mensen hier, doodt me.'

De bel onderbreekt ons gesprek. Een jongeman gaat na een vage groet met-een in de sofa naast mama Nejrama zitten.

Ermin: 'Ratko is mijn vriend. Hij was de broer van het meisje met wie ik voor en tijdens de oorlog heel goed bevriend was. Het was niet echt verliefd-heid of een liefdesrelatie, we waren al bij al nog kinderen, maar we waren echte buddy's. We gingen samen naar school, we trokken veel samen op. Ze was vijf-tien toen ze werd doodgeschoten. Ze liep over de Sniper Avenue, ze was op weg naar mij. We hadden aan de bibliotheek afgesproken. Haar dood was een ver-gissing. Want ze was een Servische. Aan zo'n drama's werd nooit veel aandacht gegeven. Niet alleen de oorlog was een drama, maar de manier waarop vriend-schappen uit elkaar gerukt werden. Door de dood of door angst. Omdat de moslims steeds geviseerd werden, durfden de Serviërs niet meer in onze nabij-heid komen. Ze vreesden voor hun leven, maar ook voor de haat van anderen, omdat ze met ons contact hielden. Je had uitzonderingen, zoals Dragana en haar familie. We bleven met elkaar omgaan. Dragana had die dag een groene pull aan, ze werd in haar rug geschoten. Ze viel neer en het duurde lang eer er hulp kwam. Als er op iemand geschoten werd, maakte de rest zich zo snel mo-gelijk uit de voeten. Was de hulp vroeger gekomen, dan leefde Dragana waar-schijnlijk nog. De kogel had niet meteen levensaders geraakt. Allicht is ze doodgebloed. 's Avonds heb ik haar samen met haar familie nog eens in het zie-kenhuis mogen zien. Haar groene pull was door het gestolde bloed helemaal bruin geworden. Haar broer Ratko en ik zijn door dat gemeenschappelijke verdriet naar elkaar gegroeid. We zijn elkaar steeds blijven zien.'

'Waarom komt Ratko niet bij ons aan tafel?', vraagt Françoise.

'Hij is heel verlegen en mijn moeder heeft graag dat hij naast haar op de sofa zit.'

Ratko blijkt elke avond bij Ermin en mama Nejrema op bezoek te komen. Hij blijft steeds op de achtergrond, een schaduw, waar we hooguit een hoofd-knik van krijgen. De morgen van ons afscheid zullen we de reden van die af-standelijkheid ontdekken.

Ondertussen komt de echtgenoot van Ermina haar ophalen. Beminnelijk en knap. Een spierbundel om u tegen te zeggen. Een vriendelijke sportman die blijkbaar succes heeft.

Ermina: 'Aan het einde van mijn rechtenstudies heb ik hem leren kennen. Ik had toen nog de gelegenheid om met een studiebeurs in Frankrijk verder te studeren. Ik stond voor de keuze: studeren of liefde en ik heb voor de liefde en het gezin gekozen.'

Ermina lacht hartelijk terwijl ze even over haar dikke buik wrijft.

Dat ik haar keuze spijtig vind, durf ik niet te zeggen. Maar dat ze het zich misschien ooit wel zal beklagen haar studies niet te hebben afgewerkt, ben ik haast zeker.

Vanavond zijn er geen zorgen. We drinken nog een glas en gaan dan slapen. Morgen willen Françoise en ik de 'Moeders van Srebrenica' bezoeken. Hun kantoor bevindt zich in Sarajevo.

Donderdag

Françoise en ik genieten van een luie morgen, we komen pas rond 10 uur aan het ontbijt. Mama Nejrema heeft lekkere thee gezet, die we in het keukentje opdrinken omdat wij ook automatisch de vermaledijde woonkamer mijden.

Naast brood en geitenkaas staat een donker potje met vloeibare brei op de tafel.

'Moeten we dat opdrinken?', vraagt Françoise zich af, 'of is het confituur?'

'Honing,' prijst mama Nejrema aan, terwijl ze naar het aanrecht hinkt.

'Françoise, je krijgt een trauma van al die confituur,' lach ik.

Vandaag begint ons Srebrenica-avontuur. Maar wel eerst in Sarajevo.

De Vereniging van Moeders van de enclaves Srebrenica en Zepa werd in 1998 opgericht. De vrouwen zijn in juli 1995 uit Srebrenica gedeporteerd en na een jarenlange omweg van bevangen en vernederende vluchtelingenkampen in Tuzla, naar Sarajevo gekomen. Bovendien is een kantoor voor hun waardevol opzoekingwerk handiger in een hoofdstad als Sarajevo dan een standplaats in een spookstad als Srebrenica, waar de gruwelijke geschiedenis nog aan elk stofdeeltje kleeft.

De Moeders van Srebrenica zijn vechters. Een controversiële vergelijking als je beseft wat ze hebben meegemaakt. Zonder hun inspanningen zou echter niet gerealiseerd zijn waar ze nu toch trots op kunnen zijn.

Jaren zoeken ze nu al naar de resten van hun meer dan zevenduizend vermoorde mannen. Ongeveer 6000 lichamen zijn ondertussen uit massagraven opgegraven, waarvan slechts enkele honderden, ondermeer door DNA-analyse, geïdentificeerd zijn. Dat wil zeggen, een paar tanden, een bot, een kapotte bril, een schoen moet hen de zekerheid geven dat hun man, zoon of vader nu echt nooit meer terugkeert.

Door de inzet van de Moeders van Srebrenica en van andere organisaties, kregen de mannen alvast hun graf in Potocari, de omgeving waar ze woonden en ook vermoord werden. In september 2003 werd op de begraafplaats een indrukwekkende Memorial 'geopend.' Deze begraafplaats en het Memorial in Potocari zijn een overwinning in de heel bittere strijd van de vrouwen van Srebrenica. Potocari ligt op enkele kilometers van Srebrenica. De internationale

Het openbaar vervoer van Sarajevo draagt nu nog de sporen van de oorlog

De heuvels van Sarajevo bezaaid met witte kruisjes

gemeenschap had een begraafplaats in Tuzla voorgesteld. Tuzla ligt immers in exclusief moslimgebied, terwijl Srebrenica na 1995 volledig Bosnisch-Servisch gebied werd. Maar de vrouwen wilden hun mannen begraven daar waar ze thuishoorden.

Mama Nejrama en zwangere Ermina

'Zijzelf, hun ouders en voorouders zijn er geboren, het was hun thuis. Het is niet omdat oorlog of politiek daar nu een andere plek van maakt, dat het hun thuis niet meer is. Ze zijn daar vermoord, en daar rusten ze nu!', is de kordate houding van de Moeders. Ze wilden hun vijanden niet het genoegen gunnen na de deportatie en genocide zich ook nog eens van de stoffelijke resten te ontdoen. Het Memorial staat in Potocari als een aanklacht tegen wat daar is gebeurd.

Voor meer dan vijfhonderd vrouwen die in juli 1995 uit Srebrenica werden weggevoerd, komt echter iedere overwinning te laat. Ze zijn aan ziektes, meestal veroorzaakt door verdriet en ontreddering, overleden.

Het is verdraaid moeilijk om het kantoor van de Vereniging van Moeders van de enclaves Srebrenica en Zepa te vinden. Vijf keer hebben Françoise en ik de Sniper Avenue in Sarajevo afgereden. We weten dat we aan het hotel Holiday Inn moeten meedraaien tot we aan de rechtenkant een groene moskee zien, daarna moeten we links draaien...

Françoise begint zich op te winden. Ze heeft maar twee credo's. De eerste is haar *'univers infini'* dat ze te pas en te onpas aanroept en de tweede luidt: 'als je iets niet weet, moet je het vragen.' Het is dan ook al de vijfde keer dat ik de auto ergens gevaarlijk parkeer en naar de Alipasina vraag.

'Sorry, do you speak English?' De meesten niet.

Munira Subasic: Clinton is me man. Zumra's (rechts) blik verraadt veel verdriet.

Misschien weegt de vermoeidheid van de voorbije dagen door of misschien is mijn oriëntatievermogen echt slecht, in elk geval blijven we rondjes draaien tot we eindelijk doorhebben dat we ons op de verkeerde 'groene' moskee focussen. Hoe groen is groen, nietwaar.

Net voor je het zijstraatje van het kantoor van de Moeders van Srebrenica indraait, kijk je over heuvels uit. Sarajevo is trouwens omringd door groene heuvels met honderden en honderden witte kruisjes, begraafplaatsen van slachtoffers van de oorlog, toen het leven in Sarajevo niks waard was.

'Hoe zou men erin slagen om al die mensen op die steile hellingen van die heuvels te begraven? Ze moeten toch allemaal naar één kant schuiven?', vraag ik Françoise.

Ze weet het ook niet.

Het kantoor van de Srebrenica-vrouwen ligt op de tweede verdieping van een groot vervallen gebouw. Via wentelende en vuile trappen laten we ons leiden door het geluid van vrouwenstemmen. De deur staat open en Munira Subasic lacht haar schaarse tanden bloot.

Ze spreidt haar armen open: 'eindelijk,' zegt ze. De vrouwen zitten ongeduldig op ons te wachten. De innemende glimlach van Françoise, die meteen geschenken uitdeelt, maakt veel goed.

'Ik heb nog confituur in de auto,' zegt Françoise veelbelovend.

De vrouwen knikken, ze hebben het niet begrepen maar kijken alvast uit naar wat nog moet komen.

Het kantoortje zit en staat vol. Een paar computers, een grote tafel en een kast vol dossiers over hoop en wanhoop. Het meest opvallend zijn de honderden en honderden foto's tegen de wand. Foto's van samenkomsten, van imminente bezoekers, van doden, van skeletten, van kisten, van graven en opgravingen. En in het middelpunt een grote foto van Bill Clinton in een hangaar in Tuzla. Hij staat voor honderden kisten, opgevuld met resten van wat eens angstige en nietsvermoedende mannen waren.

Het is duidelijk dat Munira grote bewondering voor Clinton heeft. 'Hij is naar Srebrenica gekomen voor de inhuldiging van het Memorial in Potocari in september 2003. En ik heb hem enkele vragen gesteld!', zegt ze streng.

'Mister Clinton,' vroeg ik, 'hoe voel je je nu tussen de vrouwen, wetend dat al onze mannen of zonen op een gruwelijke manier zijn uitgemoord? Bent u er zich bewust van, *mister* Clinton, dat u meer had kunnen doen om deze tragedie te voorkomen? Weet je wat hij antwoordde? Dat hij zich beschaamd voelde. Hij kreeg tranen in de ogen!'

Munira benadrukt de tranen door even over haar eigen ogen te wrijven en neemt de foto in haar handen. Clinton heeft op zijn manier de vrouwen getroost. Hij heeft hen vastgenomen, over hun hoofd gestreeld en een paar spaarzame tranen gepinkt. Maar vooral de indruk gegeven dat hij hen geloofde.

'Clinton is *me* man,' zegt Munira nog en houdt de foto even tegen haar hart.

'Dat hij ons geloofde was belangrijk voor ons,' zegt Sabra, terwijl ze een nieuwe sigaret opsteekt.

In gebieden van wanhoop doet de tabaksindustrie altijd gouden zaken. Vooral jonge meisjes en vrouwen laten zich graag bedwelmen door de rook van de troost.

De moorden van Srebrenica zijn ondertussen door de Verenigde Naties officieel als genocide erkend. Voor de Moeders van Srebrenica is dat bijzonder belangrijk. Jaren hebben ze op die erkenning gewacht. Er als leeuwinnen voor gevochten. Het begrip volkerenmoord of genocide verandert nu hun leven. De schuldenaars zijn gekend. Officiële instanties, waaronder de zogenaamde VN-beschermers, hadden liever een andere uitleg gegeven aan de manier waarop de meer dan zevenduizend mannen verdwenen zijn. Het zou hun eigen schuldvragen afzwakken, helpen dragen. Maar feiten zijn feiten.

Munira: 'Zelfs in de media werden onze getuigenissen net na de volkerenmoord soms luchthartig, soms meewarig als nationalistische propaganda afgewimpeld. Tot de eerste massagraven werden geopend. Nu krijgen we gelijk.'

We scharen ons rond de grote tafel. De vrouwen hebben pita met gemalen vlees, kaas en yoghurt voor ons klaar gezet. Zes vrouwen van de vereniging Moeders van Srebrenica zijn present. Zes getuigen met ogen die dof werden van het vele huilen. Ze vertellen hun verhaal misschien wel voor de honderdste keer. Ze worden het niet moe, niet zolang alle doden zijn geteld én teruggevonden.

Munira Subasic is de voorzitster, Kada Hotic de ondervoorzitster en rechterhand van Munira. Sabra, Kada, Zumra, Sabaheta en Advija hebben elk hun taak in de vereniging. Ze vertellen door en over elkaar. Gebroken Engels, veel gebaren. Soms lachen ze, soms wordt een traan weggeveegd. Als iemand het woord neemt, knikken de anderen steevast beamend.

Dan komen Asta M. en Violeta B. binnen. Asta is directeur 'International Commission on Missing Persons', Violeta is haar assistente. De ICMP is een officiële organisatie die het zoeken naar vermiste personen coördineert. Het gebouw waar zij hun kantoor hebben, ligt in dezelfde straat, maar het ziet er veel statiger en verzorgder uit, zoals ik later zal merken.

Er ontstaat een vreemde situatie. Asta is heel opgetogen met ons bezoek en belangstelling.

'Een boek zeg je?', vraagt ze me.

Zij zal wel voor ons vertalen, dat had ze met de dames van Srebrenica afgesproken toen die haar over ons bezoek inlichtten. Ze wil gerust haar tijd nemen als Françoise en ik maar goed beseffen hoe kostbaar haar tijd is.

'We zijn blij dat u met uw drukke agenda, toch even tijd voor ons maakt,' antwoordt Françoise minzaam en we sloven ons allebei uit om haar te danken. Françoise haalt geen cadeautje boven. De mensenkennis van Françoise is in alle opzichten merkwaardig. Asta is een Bosnische, nog jong, en ze is mooi. Haar lange zwarte haren liggen krullend als een waaier op haar schouders. Haar gezicht straalt vastberadenheid uit. Maar van de gemoedelijke sfeer die er heerste, blijft weinig over. De vrouwen zetten zich wat formeler rond de tafel en wachten af.

Munira staat op, ze moet dringend telefoneren. Ze blijft eindeloos praten.

'Zo,' zegt Asta, 'wat wilt u weten? In het Frans nietwaar!'

Asta heeft een heilige bewondering voor de Franse cultuur.

'Oh, Paris! Paris!', zegt ze. 'Het is "mijn" lichtstad.'

Enfin, we beginnen met de interviews. Nadat ik een vraag heb gesteld, herhaalt ze die aan Violeta, die dan de vraag aan de vrouwen moet voorleggen. Bij hun antwoorden, knikt Asta nu en dan, neemt notities, maar wacht tot Violeta de vraag in het Engels voor haar vertaald heeft. Waarna Asta in heel aarzelend en gebrekkig Frans de uitleg naar mij overbrengt. Tien zinnen van de vrouwen vat ze in een paar woorden samen en terwijl ze me vragend aankijkt, zegt ze: '*d'accord?*'

Hoe kan ik daarmee akkoord gaan? Nu heb ik al niet al te veel vertrouwen in sommige vertalers, maar deze absurde situatie maakt me meteen hopeloos. Ik kijk naar Violeta, die me een samenzweerderige blik terugwerpt. 'Kan ik het helpen?'

Françoise verzekert Asta dat ze ook Engels begrijpt en geen Franse omweg moet maken. Maar Asta is vast van plan niks aan de manier van vertalingen te veranderen.

En dan krijg ik er genoeg van. Heb ik van mijn vader. Ineens die vervelende druk op mijn neusvleugels, mijn ademhaling die wat versnelt en niks en niemand die me nog kan tegenhouden om te zeggen wat ik te zeggen heb.

'Stop die onzin,' zeg ik, 'met een dergelijke vertaling kan ik niet werken.'

Door mijn uitval loop ik zelf rood aan. Mijn hart klopt in mijn keel.

Asta kijkt me aan, ze vernauwt even haar ogen. Dan staat ze op, schudt met een kordate beweging haar haardos in de juiste plooi en reikt me heel formeel een hand.

'Verontschuldig me, ik moet nu echt weg, ik heb het zo druk,' zegt ze alsof er niks is gebeurd, niks gezegd.

'En, eh, je stuurt me toch een exemplaar van het boek?', vraagt ze nog.

Ik benijd de manier waarop ze zichzelf in de hand kan houden.

Gelukkig neemt Violeta de taak van vertaalster over.

De vrouwen van Srebrenica kijken me glimlachend aan en iets in hun houding laat me vermoeden dat mijn optreden hun absolute goedkeuring wegdraagt.

Munira staakt meteen haar telefoongesprek en komt terug aan tafel.

Nu kunnen Munira, Sabra, Kada, Zumra, Sabaheta en Advija echt aan hun 'Srebrencia'-verhaal beginnen. Munira somt op over hoeveel doden ze treurt, ook Kada's lijstje is niet min. Sabaheta toont haar twee handen en gaat haar vingers af: mijn vader, ze wijst op haar duim, mijn man, ze toont haar wijsvingers, mijn twee zoons, twee volgende vingers, mijn schoonvader. Het gaat zo maar door tot er één vinger overblijft. Negen doden, zoiets verdraagt niet veel commentaar.

Sabra komt handen tekort om de doden te tellen. Naast haar man werden nog 32 familieleden gedood.

'En ik heb nog een ander huiveringwekkend verhaal,' zegt ze.

Advija houdt zich wat apart en zit stil met een heel afwezige en trieste blik voor zich uit te staren. Als ik haar vragend aankijk om het aantal doden te kennen waarover ze treurt, maakt ze een 'laat maar' gebaar.

Isobel, Sabra, Munira, Sabaheta

Toen Joegoslavië in 1991 uit elkaar viel, zetten nationalistische wolven meteen hun tanden in het vrijheidstreven van volkeren. Alle rede en gezond verstand waren weg. De streek, de mensen werden meedogenloos meegesleurd en verscheurd. Er moesten keuzes worden gemaakt. Aan welke kant sta je? Er werd aan alle kanten verkracht en gemoord. De wereld keek toe.

Srebrenica ligt in Oost-Bosnië en was één van de moslimenclaves (naast Gorazde en Zepa).

Voor de oorlog telde Srebrenica 37.211 inwoners, waarvan 27.118 moslims en 9.381 Serviërs. De gehuchten binnen de streek waren etnisch goed onderverdeeld. Toch ging het de Serviërs beter voor de wind dan de moslims. De lappen grond die ze bewerkten waren groter, de huizen ook. Tot voor het uitbreken van de oorlog in Kroatië in 1991, was dat nooit een bron van ongenoegen. Nadat in april 1992 ook de burgeroorlog in Bosnië in volle hevigheid ontbrandde, werd Srebrenica meteen een geliefkoosd doelwit voor bommen en granaten.

Munira trekt haar rok omhoog. Diepe littekens krinkelen langs haar been: 'al in 1992!'

Ze geeft me de tijd om naar haar been te kijken en laat dan langzaam haar lange rok zakken.

'Een jaar later hadden we schoon genoeg van al die ellende, het geweld, dat moorden, die verkrachtingen. Door onze geografische ligging zaten we echt

Sabaheta, Kada Hotic, Advija en Sabra

geïsoleerd in onze stad. Srebrencia ligt namelijk in een put, tegen de grens van Servië. Daarom was voor ons het bezoek van VN-generaal, de Fransman Philippe Morillon, in het voorjaar van 1993 een lichtpunt. Hij was onze ridder op het witte paard. Eindelijk zouden we gered worden, eindelijk zou iemand naar ons luisteren en zouden we opnieuw naar buiten kunnen. Morillon was heel charmant en vriendelijk, hij luisterde echt naar ons en beloofde dat we niet meer bang hoefden te zijn. Eerst geloofden we die vage woorden niet, we hadden allemaal teveel meegemaakt. Toen hij wou vertrekken, lieten we hem niet gaan. Wij sloten de rangen, vormden een levende muur waar geen doorkomen aan was. Een hopeloze vrouw gooide zich met haar paar maanden oude baby voor zijn auto.'

Generaal Philippe Morillon was vol goede wil, hij besefte de wanhoop en angst van de bevolking. Na verdere onderhandelingen met zijn hoofdkwartier kon hij beloftes doen:

'Ik zal u nooit in de steek laten. Nooit. Voortaan zullen we u beschermen, u kunt op ons rekenen, u staat nu onder de hoge bescherming van de Verenigde Naties. Dit is hier vanaf heden een beschermd gebied, een *Safe Area*.'

Hij sprak de woorden uit alsof hij een profeet was.

Munira: 'Hij sprak zo overtuigend dat we zelfs enthousiast applaudisseerden. Tranen van ontroering en geluk liepen over onze wangen. We waren gered! We lieten zelfs een vlag wapperen.'

Srebrenica werd inderdaad op 18 april 1993 tot *Safe Area* uitgeroepen. In een VN-resolutie van 4 juni 1993 staat dat UNPROFOR een beschermingsmandaat krijgt. De eerste blauwhelmen die in Srebrenica aankwamen waren Canadezen. De bevolking was hen genegen. Omgekeerd ook. Helaas, *Safe Area* of niet, de oorlog ging gewoon door. Misschien met minder luchtbombardementen, maar de oorlogswaanzin bleef. Granaten, doden, verkrachtingen. Door het beperkte mandaat moesten de Canadese blauwhelmen toekijken op de oorlogsbrutaliteiten.

Kada: 'De Canadese blauwhelmen waren wel heel vriendelijk. Ze zorgden op zijn minst dat de humanitaire goederen bij ons kwamen. Het feit dat we een *Safe Area* waren, bracht echter nog een nieuw immens probleem. Heel wat vluchtelingen die in de heuvels zaten of in vluchtelingenkampen rond Srebrenica, kwamen naar onze stad toegestroomd. In korte tijd was het bevolkingsaantal van onze stad meer dan verdubbeld. Met nare gevolgen zoals hongersnood. Niemand was op zoveel mensen voorzien.'

In 1994 werden de Canadezen door de Nederlanders (Dutchbat I) opgevolgd. Dutchbat installeerde zijn hoofdkwartier in het kamp dat zich in een fabriek, de Akumulatorka, op het industrieterrein van Potocari, op slechts enkele kilometers van Srebrenica bevindt.

Zumra: 'De situatie werd steeds moeilijker. Ook voor ons, als moeders vooral. Er waren verkrachtingen, maar ook onze meisjes gingen flirten. Vooral met de blauwhelmen. Dat internationale trok hen allicht aan en zeker de welstand. Ze kwamen naar huis met een pakje sigaretten of een geschenkje. Ach, je kan het misschien begrijpen, ze waren jong en hadden genoeg van die bommen, ze wilden leven. Maar wij moeders hadden op die manier het gevoel dat de vijand overal zat. Als we niet voor granaten moesten schuilen, of voor onze mannen vreesden die ergens aan het vechten waren, moesten we ons voor onze dochters schamen die van de mannelijke aanwezigheid profiteerden om hun verleidingskunsten uit te proberen. Wat moesten we doen?'

Kada: 'De algemene toestand veranderde met de Nederlandse blauwhelmen. Al trokken de jonge meisjes zich dat niet aan, hoor. Maar de Nederlanders waren niet echt vriendelijk met ons. Soms uitgesproken arrogant. Ze vonden ons leger maar een stelletje boerenkinkels. Maar wat wil je? Waar zouden we nette uniformen en gesofisticeerde wapens hebben gehaald? Er was trouwens een wapenembargo. Die maatregel trof ons leger veel meer dan bijvoorbeeld het Bosnisch-Servische leger dat steun uit Servië kreeg. Het had voor de verantwoordelijken integendeel een extra aanwijzing moeten zijn dat ze ons moesten beschermen. Maar Dutchbat had duidelijk een betere relatie met het Bonisch-Servische leger (VRS). Ook met de burgerbevolking waren ze niet echt vriendelijk. Ze keken op ons neer. We voelden ons uitgelachen, aan ons lot overgelaten. Dat was heel pijnlijk. We hadden het er onder elkaar dikwijls over. Waarom hebben ze de Canadezen niet bij ons gelaten, vroegen we ons af? Al moet ik eerlijk toegeven dat ook de Canadezen machteloos waren. Maar zij gaven tenminste de indruk dat ze om ons gaven. In 1995 begon het Bosnisch-Servische leger (VRS) met zijn fameuze knijptechniek. Makkelijk als je zoals Srebrenica in een put ligt. Ze sloten ons van alles af. De wurggreep ging als vanzelf. Vooral als ze voelden dat er geen of niet genoeg internationale weerstand kwam. Vanaf mei 1995 werden de vrachtwagens met hulpgoederen zelfs volledig tegengehouden. Soms moesten de trucks via andere steden rijden om bij ons te raken. En terwijl wij vreselijk honger leden, werd voedsel dat niet op tijd bij ons raakte, gewoon weggeworpen. Was dat voor de VN ook al geen signaal hoe huiveringwekkend alleen we stonden? Weet je wat een van de Nederlandse commandanten nadien uitkraamde? Dat onze mannen om de genocide gevraagd hadden door bijna tweehonderd dorpen rond Srebrenica uit te moorden! De waarheid was dat enkele mannen voedsel waren gaan stelen. Geiten of koeien. We hadden honger. Natuurlijk was er verzet, natuurlijk probeerde ons leger (ABiH) ons te verdedigen. Maar hoe? We werden zelfs ontwapend. Het is toch nog altijd iets anders dan dorpen uitmoorden. Wat een blaam hé! Trouwens hoe zouden we weggeraakt zijn om dorpen uit te moorden? Rond Srebrenica lag het vol mijnen. Die uitspraak werd later herroepen, maar het geeft toch een idee hoe men zich van zijn eigen schuldvraag wou afmaken. Wij zaten ondertussen wel als ratten in een val.'

Omdat het Bosnisch-Servisch leger de afspraken voor de *Safe Area* niet nakwam, bombardeerde de NAVO op 25 mei 1995 de wapendepots van Pale (hoofdkwartier van de Bonisch-Servische legerleiding). Waarop het Bosnisch-Servische leger 270 VN-soldaten gijzelde. Nieuwe onderhandelingen werden een spel van geven en nemen. Er werden VN-soldaten vrijgelaten, andere werden opnieuw gegijzeld. Uiteindelijk hadden VN-gezant Yasushi Akashi en opperbevelhebber generaal Bernard Janvier in juni 1995 een ontmoeting met de ondertussen nog steeds gezochte oorlogsmisdadiger Radovan Karadzic. Bereikten ze een geheim akkoord? Sommige bronnen beweren dat Bernard Janvier aan de Bosnisch-Servische legerleider, generaal Ratko Mladic, had beloofd geen luchtaanvallen meer uit te voeren op voorwaarde dat er geen VN-soldaten meer zouden worden gegijzeld. Maar het zou de VRS er niet van weerhouden om net voor de genocide, op 9 juli, nog eens 30 Nederlandse blauwhelmen te gijzelen en hen op de Servische basis op één kilometer van Srebrenica vast te houden. Eén Nederlander raakte bij een beschieting dodelijk gewond.

De dagen voor de definitieve genocide lijken een hallucinant spel van onbekwame, onbesliste en bange leiders. De internationale politiek en de Verenigde Naties gaven blijk van ongelooflijke nalatigheid, onbekwaamheid en sulligheid. Aanvragen van Dutchbat om luchtaanvallen werden of afgewezen, of aan de verkeerde persoon doorgefaxt, of ze kwamen te vroeg of te laat. Dutchbat, dat uit amper 600 man bestond, aarzelde, was bang voor het lot van de eigen mensen en werd door de VRS genadeloos in het gezicht uitgelachen. Als er inderdaad al wederzijdse sympathie was, dan werd die door de VRS op zijn zachtst uitgedrukt misbruikt.

Op 6 juli 1995 zette het Bosnisch-Servische leger de ultieme aanval op Srebrenica in. Ze sneden door de weerstand als door zachte boter. Weerstand? De Bosnische moslims waren door de blauwhelmen grotendeels ontwapend en de VN weigerde de wapendepots te openen, zodat de moslims zich onmogelijk zelf konden verdedigen. Het staat niet vast dat er vóór die datum al een plan voor de genocide was, maar de geringe weerstand opende in elk geval de deur naar het brutale vervolg. Iedereen besefte tenslotte dat er iets ergs zou gebeuren. Dutchbat III vroeg aan het hoofdkwartier, aan de Nederlandse generaal Cees Nicolai, om luchtsteun. Wat geweigerd werd. In New York waren ondertussen vergaderingen met VN-vertegenwoordigers aan de gang over de rol die de 'Rapid Reaction Force' zou moeten spelen.

Op 9 juli vluchtten duizenden mensen die zich in een kamp aan de zuidkant van Srebrencia bevonden, naar het centrum van Srebrenica. En dag later, de vooravond van de volkerenmoord, vroeg Nederlandse kolonel Thom Karremans nog eens aan het VN-hoofdkwartier om luchtsteun. Hij kreeg de bevestiging dat er 50 NAVO-vliegtuigen zouden worden ingezet. Het bleek uiteindelijk om een misverstand te gaan, er werd gemeld dat er NAVO-vliegtuigen boven Tuzla zouden vliegen, maar er werd niet bevestigd dat ze zouden ingrijpen.

Meer dan 4000 vluchtelingen die heel paniekerig door de straten van Srebrenica doolden, probeerden ondertussen heil te zoeken in en rond de Dutchbatbasis.

Op 11 juli omsingelde het Bosnisch-Servisch leger heel Srebrenica. Om 9 uur in de morgen kreeg de Nederlander Thom Karremans 's morgens uit het VN-hoofdkantoor in Sarajevo het bericht dat zijn vraag voor luchtsteun niet kon doorgaan omdat hij het op het verkeerde formulier had aangevraagd. De

nieuwe aanvraag kwam te laat want de NAVO-vliegtuigen, die dan toch hadden kunnen ingrijpen, waren op dat moment naar Italië teruggevlogen om
zich opnieuw van brandstof te bevoorraden. Om 14u30 lieten twee Nederlandse F16's twee bommen vallen op Servische posities rond Srebrenica. De
Serviërs lieten meteen weten dat ze de gegijzelde Nederlandse blauwhelmen
zouden doden als er nog bommen kwamen.

Meer dan twintigduizend angstige mensen waren ondertussen op weg naar
het Dutchbat-kamp in Potocari.

Kada: 'De burgers waren uitzonderlijk angstig, iedereen schreeuwde om hulp.
Iedereen liep op straat en niemand wist niet wat hij moest doen. De angst tril-
de in de lucht. In de straten zagen we tot onze opluchting VN-vrachtwagens
met Nederlandse blauwhelmen heen en weer rijden. We liepen naar hun toe:
"Wat gaat er gebeuren? Wat gaat er gebeuren? Help ons!" Ze gaven ons niet
eens aandacht. Ze keken niet eens naar ons om, namen niet eens de moeite om
een antwoord te geven. Iedereen zette zijn weg verder naar het VN-kamp aan
de industriezone van Potocari. Dat was ons inziens de enige veilige zone. Niet
iedereen was daar echter van overtuigd. Er was veel wantrouwen over de steun
die Dutchbat zou geven. Een grote groep, vooral mannen, probeerde via de
bossen naar Tuzla te vluchten. Ik ging samen met mijn man, mijn zoon, een
broer en mijn schoonzus ook op weg naar het VN-kamp in Potocari. Er was
ontzettend veel volk. In vredestijden zou je aan een massale betoging hebben
gedacht. Er was echter geen woede of opstand op de gezichten te lezen, wel verschrikkelijke, vernietigende angst. Wat gaat er met ons gebeuren? De zon zinderde door de straten, het was snikheet. Ik had het gevoel dat elke stap die ik
zette, een stap in een nare droom was. Mijn voeten gingen vooruit, maar ik
bleef staan. Wat we meemaakten was toch onmogelijk? Het ergste moest echter nog komen. "Blijf alsjeblieft dicht bij me," smeekte ik mijn man. Hij nam
mijn arm. "Kom, Kada," zei hij, "je moet niet bang zijn. Kijk hoeveel mannen
hier aanwezig zijn. Wij zullen ons toch verdedigen en niks laten gebeuren?" Het
stelde me wat gerust. Maar hoe zouden ze ons verdedigen, met wat? Ze hadden
geen wapens. Ik wou ook de hand van mijn zoon nemen, maar dat vond hij allicht te flauw. Hij was een grote jongen. Servische buurjongens waarmee hij normaal een vriendschappelijke relatie had, zelfs tijdens de oorlog, stonden langs de
weg toe te kijken hoe we daar tussen die massa mensen naar Potocari aanscho-
ven. Ze waren ontdaan, dat zag je, maar ze reageerden niet. God, wat was dat
een vernederende situatie.

Omdat iedereen zo verschrikt was, begonnen we zekerheden bij elkaar te
zoeken. "Ach, het is intimidatie." Het was onze manier om moed te scheppen.

"Hou toch eens op met jammeren," zei mijn man tenslotte, "Dutchbat is er toch ook." Ik kreeg weer wat adem. Een vrouw begon plots te schreeuwen: "Ze hebben mijn zoon vermoord, ze hebben mijn zoon vermoord!" Aan een huisje zag ik tegen de muur drie lijken van mannen liggen. Hun mond en ogen stonden wijd open, alsof ze verwonderd naar boven keken, naar de hemel die op hen wachtte. Strepen bloed zochten zich een weg, langs hun hoofd, over hun hemden. Ik had geen schot gehoord! Maar de massa was ook zo luidruchtig. Ik denk dat ik me toen pas realiseerde dat we regelrecht naar een catastrofe gingen. Wat verder lagen nog meer lijken. Ik durfde bijna niet meer te kijken, er niet meer over te spreken. Mijn mond was droog. Toen we bijna aan de industriezone kwamen, werd mijn broer door een VRS-soldaat uit de rangen gehaald. "Jij, meekomen jij!" Ik sloeg mijn handen voor mijn mond. Wat zouden ze met hem uithalen? Ik heb hem nooit meer teruggezien. In het VN-kamp in Potocari was er al heel veel volk. De bevolking van een kleine stad die angstig staat te dringen om hulp te krijgen! Zo'n vijfduizend mensen stonden binnen de hekkens op het plein van het VN-kamp, rond de anderen die op de straten en in het veld rond het VN-kamp stonden – zo'n twintigduizend heb ik achteraf vernomen – hadden de Nederlandse blauwhelmen prikkeldraad geplaatst. "We hebben dorst," klaagden we. "Help ons please." Ze deden of ze ons niet hoorden, of zeiden "*no problema*, geen probleem."

Mensen huilden, sloegen zich vertwijfeld op de borst. Een jonge buurvrouw die pas een baby had gekregen, schoof door de rangen naar mij toe. De baby huilde vreselijk. Ze stak het kind naar me uit, ik zag zoveel wanhoop in haar ogen. Ik weifelde, wat moest ik in godsnaam met een baby doen? Een VRS-soldaat nam de beslissing voor mij, hij rukte de baby uit haar armen en verdween. Zij volgde hem huilend. Ik kon haar toch niet alleen laten? Ik volgde haar, tussen de rangen. "Laat me door alstublieft." Toen zag ik haar, ze stond daar verbaasd naar een pakje bloed te kijken dat op de grond lag. Het was haar baby. En vreemd genoeg, alsof er niks was gebeurd, sloot de massa zich opnieuw rond haar. In panische angst probeerde ik vlug terug naar mijn man en zoon te gaan. Ik vond hen eerst niet terug, maar gelukkig stond mijn zoon op de uitkijk en merkte ik zijn zwaaiende hand.

Ondertussen vroeg men zich af wat er met die massa moest gebeuren. De Nederlandse blauwhelmen waren zelf al een tijd door hun voorraad van voedsel en water heen, laat staan dat er genoeg was om aan de mensen uit te delen. En daar stonden die duizenden mensen in de hitte te wachten op een lot dat door misdadigers en aarzelende mensen, sommige van heel weinig goede wil, zou bepaald worden.

Even na vier uur in de namiddag dook plots Ratko Mladic op. Zijn aanwezigheid nam ons laatste greintje hoop weg. Hij werd gevolgd door de Servische televisie. De camera's registreerden zijn gesprekken met de mensen, registreerden zijn valse goedhartigheid. Gemoedelijk deelde hij voedsel uit aan hongerige mensen. Gaf snoep en chocolade aan de kinderen, maar zodra de camera's zich wegdraaiden, werd alles weer afgenomen. Mladic zei voortdurend: "Je moet niet bang zijn, er zal niks gebeuren. We zullen jullie in veiligheid brengen." Dus, we moesten weg? Ik dacht aan mijn huis, mijn bloemen. Zouden we ons huis terugzien? Mijn hart kromp voor de zoveelste keer ineen. Ik had een paar tassen meegenomen. Met wat? Met dingen die ik niet nodig had. Ik had meer kunnen meenemen.'

De Nederlandse kolonel Thom Karremans was ook aanwezig en voor de camera's vroeg Mladic hem langs zijn neus weg: 'klopt het dat u een verzoek hebt ingediend om ons te bombarderen?'

'Nou, nou verzoek,' antwoordde kolonel Karremans, 'dat is wat kort door de bocht.'

De welwillendheid van Dutchbat III zou kwalijk aflopen. Mladic en zijn trawanten brachten de Nederlanders in een netelige positie. Een spel van kat en muis, waarbij Mladic zich als een monsterlijke kater zou gedragen. In het hotel Fontana in Bratunac was er die dag een samenkomst met Dutchbat, vertegenwoordigers van de moslims en generaal Ratko Mladic. Mladic zette zijn visie van evacuatie uiteen. Hij zou de moslimmannen screenen, hij wilde absoluut weten of de mannen al dan niet oorlogsmisdaden op hun geweten hadden. Dutchbat stond met de rug tegen de muur. Indien ze niet in een evacuatie zouden toestemmen, wat moest er dan met die duizenden toegestroomde mensen gebeuren? Er waren geen voorzieningen. Thom Karremans vroeg nog drinken en eten voor al die vluchtelingen. Maar Mladic had andere zorgen aan zijn hoofd, hij wou dat de moslims meteen alle wapens zouden afgeven. Wat voor het Bosnische leger en veel mannen de aanzet was om tijdens de nacht door de bossen en heuvels naar veilig moslim gebied te vluchten. Een colonne van zo'n 15.000 vluchtende mannen werd op gang gebracht. Helaas, de VRS zou ze onderscheppen. Ze gebruikten zelfs herdershonden om de mannen op te sporen. Al op 13 juli gaf een groot deel van die gevluchte mannen zich 'in vertrouwen' over, ze werden echter met nekschoten afgemaakt. Vooral in een opslagplaats rond het dorp Kravica werden honderden mannen met een dodende kogel geconfronteerd.

Sommige mannen konden ontkomen en zetten hun weg verder. In elk geval zou de verontwaardiging van de VRS voor die durf van dit 'moslimgebroed' zeker de beslissing van de etnische zuivering van de enclave in de hand werken. Wanneer er precies werd beslist tot de uitroeiing van de mannelijke bevolking van Srebrenica is tot vandaag nog een vraagteken. Er is nergens een schriftelijk bevel gevonden.

Kada: 'Mijn andere broer had een van mijn zonen meegenomen op deze vlucht door de bossen. De Serviërs hebben ze onderschept en deden beloftes: "Geef u over, er gebeurt niks." Velen vreesden voor hun leven en dachten: "Als we ons overgeven, laten ze ons leven." Dan zijn we gewoon gevangenen. Mijn zoon en broer hebben allicht ook zo geredeneerd. Ze zijn nooit teruggekeerd.'

Het werd voor iedereen de langste nacht van hun leven. Voor veel mannen werd het hun laatste.

Woensdagmorgen 12 juli: de zon kwam op, het blauwgrijze licht voorspelde een nieuwe warme dag. Een zomerse dageraad die niet liet vermoeden dat het drama zijn laatste en definitieve fase zou ingaan.

Nesib Mandzic, het schoolhoofd van Srebrencia, trad samen met Ibro Nuhanovic als vertegenwoordiger van de vluchtelingen op. Ibro was de vader van Hasan Nuhanovic die als vertaler voor Dutchbat werkte. Op die warme woensdagochtend hoorden Nesib en Igro dat alle mannen tussen 12 en 77 jaar zouden verhoord worden over hun eventuele oorlogsmisdaden. De Nederlandse luitenant-kolonel Karremans leek niet zijn beste dag te hebben. Hij voelde zich niet goed en liet aan majoor Robert Franken de feitelijke leiding over. Wanneer de blauwhelmen precies de snode plannen van Mladic doorhadden, ligt nergens vast, maar het is een feit dat Dutchbat zich realiseerde dat ook zijn eigen personeel niet meer veilig was. Zo maakte Ibro een lijst met de gegevens van 239 mannen die in het VN-kamp werkten. En er ontstond commotie om op die lijst te geraken. De lijst kreeg de allure van 'Schindler's list'. Wie er opstond, zou veilig zijn. De leiding van Dutchbat III vreesde echter de strenge controle van het Bosnische-Servische leger, waardoor ze de speelbal van wraakacties zouden worden. De hoofdonderwijzer mocht er niet op. Ibro wel, maar hij weigerde. Hij wou bij zijn familie blijven. Tot wanhoop van zoon Hasan, die dan nog tevergeefs probeerde zijn broer, Muhamed, op die lijst te krijgen. Hasan verloor de volgende dagen zijn vader, broer en moeder...

De Nederlandse majoor Franken informeerde ondertussen Radislav Krstic, (generaal Krstic werd in augustus 2001 Den Haag tot 46 jaar veroordeeld, maar ondertussen is zijn straf op 19 april 2004 tot 35 jaar verminderd), bevelhebber van het Drina Korps, de sectie van de VRS, en generaal Ratko Mladic, over het bestaan van die lijst. Franken liet hen weten dat de lijst naar Genève was gefaxt.

Veiligheidshalve stak hij een kopie van de lijst in zijn ondergoed. Van de 239 mannen op de lijst is nadien niks meer vernomen, tenzij hier en daar een aanwijzing bij een DNA-onderzoek!

Kada: 'Mijn geest was als een draaitol, de ene keer stelde de gemoedelijke houding van Dutchbat met de Serviërs me gerust. Ik dacht: "Ze proberen ze te vriend te houden om ons te sparen." Een minuut later werd ik overmand door twijfel en afkeer. In elk geval, die woensdag was het voor iedereen duidelijk: zo vlug mogelijk weg uit Srebrencia, weg uit Potocari en weg van het Bosnisch-Servische leger. Tussen de wachtende massa werden baby's geboren. Moeders schreeuwden van pijn en ontreddering. Nu en dan werden jonge meisjes tussen de massa weggehaald en kwamen verward terug. Een meisje werd later in het maïsveld teruggevonden. Haar keel was overgesneden.'

Terwijl de mensen op elkaar gepakt ontreddderd hun lot afwachtten, namen de Serviërs juwelen, geld en identiteitspapieren van die weerloze vluchtelingen af. Ze gingen steeds brutaler te werk. Sloegen er duchtig op los. De vraag bleef echter: wat moest er in godsnaam met die duizenden mensen gebeuren?

Kolonel Thom Karremans gaf aan majoor Franken door dat de VN niet bij een evacuatie van de moslimbevolking mocht helpen. Maar ze zouden zich ook niet verzetten. Op foto's, door een blauwhelm genomen, was te zien dat tijdens de evacuatie niemand de Serviërs een strobreed in de weg legde. Met het filmrolletje werd nadien geknoeid, het bewijs werd uitgeveegd.

Ratko Mladic vroeg aan Dutchbat of ze hen van diesel konden voorzien, waarop de Dutchbatcommandant aangaf dat ze zelf geen brandstof hadden. Ze drongen er wel bij Mladic op aan dat er op elke bus met geëvacueerde mensen een blauwhelm zou aanwezig zijn om de vluchtelingen te 'beschermen'. Mladic gaf de indruk dat hij akkoord ging en dat het transport om 13u00 zou beginnen. Er werd zelfs een glas geheven op de overeenkomst.

Veertig tot vijftig bussen, vrachtwagens, zelfs militaire voertuigen kwamen in Potocari aan. De zwakheid van de massa in zo'n situatie werd schrijnend. De opeengepakte mensen reageerden volgzaam als een kudde schapen, als een makkelijke prooi. Iedereen strompelde over iedereen. Zowel mannen als vrouwen spoedden zich naar de bussen. Op de eerste bussen slaagden mannen er nog in om samen met de vrouwen plaats te nemen. Later, tussen Tisca en Luka, werden die bussen door de VRS tegengehouden. De meeste mannen moesten de bussen verlaten en werden naar Vlasenica gebracht, waar ze werden doodgeschoten. Duchtbat onderhandelde ondertussen ook voor een veilige aftocht voor henzelf.

Ze zouden op 22 juli in Zagreb aankomen.

Kada: 'Ik had geprobeerd bij mijn man en zoon te blijven. Toen we opstapten, werden we echter van elkaar gescheiden. Mijn man werd met een geweer tegen zijn hoofd weggevoerd. Ik heb hem geroepen, ik heb ook mijn zoon geroepen. "Ga niet weg. Blijf bij me!", schreeuwde ik. Mijn man duwde de tassen die we mee hadden in mijn handen, alsof hij besefte dat hij niks meer zou nodig hebben. Mijn zoon keek nog even om en haalde zijn schouders op. Op de bus liep ik meteen naar een venster en probeerde hen te zoeken. Toen zag ik dat alle mannen werden tegengehouden en van de vrouwen werden gescheiden. Mijn man en mijn zoon heb ik nooit meer teruggezien. Mijn schoonzus bevond zich net achter mij. Toen zij wou opstappen met haar zoontje van elf, begonnen ze aan twee kanten aan dat arme kind te trekken. Zijn moeder wou hem absoluut meenemen op de bus, een soldaat trok aan zijn andere arm om hem bij de mannen te houden. Een soldaat zei toen: "Kom, laat hem leven!" Dus ze wisten toen al dat ze de mannen zouden uitmoorden! Ze lieten in elk geval het kind op de bus stappen. Bij die acties stonden de Nederlandse blauwhelmen toe te kijken.'

Kada begint te huilen, ik loop naar haar toe.
    'Laten we wat rusten,' zeg ik.
    'We hebben allemaal zo'n schok gekregen. Je kan dat echt nooit aanvaarden,' snikt ze.
    Sabra neemt haar in haar armen en troost haar als een kind: 'kom, kom.'

Sabra keert zich dan tot mij: 'nu vertel ik mijn verhaal.'
    Sabra woont nu al jaren met haar moeder in Sarajevo, in een paar 'betaalbare' kamers in een kelderverdieping zonder vensters. Zonder eigen toilet, douche of badkamer. Daarvoor moeten ze naar de collectieve voorzieningen. 'In mijn eigen appartementje in de rij staan voor WC of badkamer. Het zal je maar overkomen hé.' Geld voor luxe hebben ze niet. Sabra's moeder zit in een rolstoel. Voor wat frisse lucht moet ze nu en dan naar buiten worden gevoerd. Maar het enige waar Sabra echt om geeft, is haar werk binnen de vereniging Moeders van Srebrenica en haar superlange nagels. Die verzorgt ze angstvallig. Het paradepaardje van haar handen. Ze is er heel expressief mee. Het zijn haar klauwen en o wee de man die haar ooit nog lastig valt.
    Sabra: 'Ook mijn man zat in die groep die via de bossen vluchtte. Ikzelf ben met mijn oude vader en moeder via de bedding van de Drina (rivier) gevlucht. Mijn vader had een pijnlijke voet. Nu en dan moest ik hem op mijn rug nemen.

We hebben door het water gewaad, tot ik van uitputting neerviel. Daarna zijn we beetje bij beetje vooruitgegaan. Je bent ook voortdurend bang om opgemerkt te worden. Een tak die kraakt, een vogel die fladdert, je schrikt je dood. Bovendien, de rivier is op bepaalde plaatsen diep, we moesten dan telkens naar de oevers kruipen. Met twee sukkelende oude mensen is dat niet evident. Ik begrijp ook niet waarom men ons niet heeft opgemerkt. Buiten het "gevaarlijke gebied" werden we door burgers geholpen. We hebben in een huis kunnen eten en overnachten en de man heeft ons dan 's morgens met zijn tractor langs landwegen naar Tuzla gereden. Wat behoorlijk gevaarlijk was. Ik ben die mensen heel dankbaar, ik bezoek hen nu regelmatig. We vertellen het verhaal steeds opnieuw en soms moeten we al eens om een anekdote lachen, zoals toen mijn vader 's nachts plots in hun tuin rondsloop. Hij moest naar het toilet en was het noorden kwijt, hij wist opeens niet meer waar hij was.'

Sabra's vader is kort daarna overleden. Zoveel avontuur op zijn leeftijd was slecht voor zijn hart.

Sabra: 'Waar ik toen de kracht haalde om met mijn vader op mijn rug door het water te sluipen, weet ik niet. Misschien wel uit haat of als revanche voor wat ik had meegemaakt.'

Sabra draait haar hoofd, dan pas merk ik die diepe rode lijn die vanachter haar linkeroor tot diep in haar hals loopt.

Sabra: 'In juni 1995 hoorde ik plots mijn schoonzuster, die naast ons woonde, verschrikkelijk schreeuwen. Ze tierde, riep om hulp. Ik ging meteen kijken, maar toen ik aan de voordeur kwam, was het al stil. Servische soldaten deden de deur open, ik aarzelde. "Waar is Zada? Wat is er met haar gebeurd?", vroeg ik. De Servische soldaat begon te lachen, nam me bij mijn arm en trok me naar binnen. Daar lag Zada doodstil, midden in een plas bloed. Er stonden nog een paar soldaten heel onverschillig een sigaret te roken alsof ze net een konijn hadden gevild. "Smeerlappen, smeerlappen," schreeuwde ik, want aan haar houding, haar opengetrokken benen en haar gescheurde kleding, zag ik wel wat er gebeurd was.'

Sabra wacht even, neemt een glas en schenkt er wat fruitsap in, steekt een nieuwe sigaret op.

Sabra: 'Terwijl ik daar verschrikt naar het dode lichaam van mijn schoonzus stond te kijken, terwijl ik steeds meer riep "smeerlappen, smeerlappen," nam een soldaat me vast.

"Zwijgen gij, ik geef je ook een beurt." Hij maakte een gebaar naar de anderen dat ze me moesten vasthouden. Hij duwde me op de grond, de andere twee zaten lachend op hun knieën naast me terwijl ze mijn armen en handen naar beneden duwden. Daarna trok hij mijn slip naar beneden, met zijn andere hand opende hij zijn broek, toen... hij... hij verkrachtte me. Het duurde niet zo lang. De man stonk vreselijk, alles stonk vreselijk. Dat is wat ik me het meest herinner. Die vieze geur en zijn grove lach, dat achtervolgt me. "Kijk ze daar liggen," zei een van die soldaten. Mijn verkrachter haalde een mes boven, het was duidelijk, hij ging mijn keel doorsnijden. Maar ik had geluk, op het ogenblik dat hij sneed heb ik mijn hoofd gedraaid. Ik voelde iets branden en dan warme vloeistof die langs mijn keel droop. Daarna moet ik flauwgevallen zijn. Ze hebben me alleszins voor dood laten liggen. Hoelang ik daar gelegen heb, weet ik niet. Plots boog mijn man zich over me. Mijn schoonzus lag nog netjes naast me. Alleen zij was dood.'

Sabra draait zich weg, haar verhaal is af. Ze is momenteel een van de meest gemotiveerde activisten binnen Moeders van Srebrenica en ze wordt voor haar inzet nog altijd even grondig door de Serviërs gehaat.

Ik leg mijn pen even neer, schakel mijn bandopnemertje uit. Maar de vrouwen zijn nog niet uitverteld. Zumra staat te dringen om verder te vertellen. Dus neem ik ook de draad weer op.

Zumra: 'Ook ik ben op 12 juli in Potocari van mijn man gescheiden. Voor ons stond er een vrachtwagen, geen bus. Ik moest alleen op de vrachtwagen, Ramo werd handhandig aangepakt en moest bij de groep mannen gaan staan. Hij riep: "Niet bang zijn Zumra, ik kom wel terug." Ik keek naar hem zolang ik hem kon zien. Het beeld verkleinde, dan draaiden we weg. Het was de laatste keer dat ik hem gezien heb. Al onderweg vertelden de soldaten spottend dat we onze mannen niet meer zouden terugzien. Ze maakten een gebaar met hun duim over hun keel. "Ze bluffen," dacht ik. "Ze bluffen, dat kan niet." De truck stopte langs de weg. Iedereen moest uitstappen. Voor sommige oudere vrouwen was dat heel moeilijk. De soldaten waren al heel wat minder voorkomend dan toen we vertrokken en toen de Nederlandse blauwhelmen toekeken. Sommige vrouwen vielen op de grond, bezeerden hun benen. De soldaten hadden geen geduld. "Iedereen zijn geld afgeven," riep een soldaat. "Wie niet betaalt, snijden we levend de genitaliën open," riep een ander.

We hadden geen geld, als we geld hadden meegenomen, waren het de mannen die het in hun portefeuille hadden. Uit angst deden we onze juwelen af. Ik deed mijn gouden oorringen uit, ik had ze van mijn moeder gekregen. Ik stak mijn hand uit. Een soldaat sloeg brutaal tegen mijn hand, de oorringen vielen op de grond. Hij stampte erop. "Geld," zei hij. Ik mocht mijn oorringen niet oprapen. Alle vrouwen werden bang en haastten zich om hun juwelen te geven. Die moesten ze niet hebben. We hadden geluk, om de een of andere reden mochten we enkele minuten later opnieuw op de truck en reden we door. Het was een open truck en toen we voorbijkwamen, gooiden sommigen Serviërs langs de weg stenen naar ons. Verschillende vrouwen raakten gewond. Langs de weg naar Kladanj zagen we de mannen die de dag ervoor waren gearresteerd in Potocari. Ze stonden met hun handen op hun hoofd. Ze keken naar ons. Angst, angst, hoe moet ik dat allemaal vertellen? Overal langs de weg lagen lijken. Aan het kruispunt stond een man helemaal naakt. De soldaten waren hem aan het sarren.'

Bussen en vrachtwagens met de vrouwen en kinderen reden via Bratunac, Nova Kasaba, Vlasenica, Tisca en Luka naar Kladanj. Tussen Tisca en Luka moesten de vrouwen en kinderen de bussen verlaten en 6 km te voet gaan tot Kladanj, waar andere bussen hen naar de vlieghaven van Tuzla brachten. Sommige mensen waren uitgeput door die lange dagen in de zon zonder eten of drinken, sommigen konden niet meer gaan en kropen op handen en voeten verder.

In Tuzla wachtten hen tentenkampen. Amper een paar dagen eerder woonden die vrouwen en kinderen nog in hun huis, sliepen ze nog in hun bed. Vanaf nu zouden ze op matrasjes op de grond met tientallen naast elkaar moeten slapen. Maanden-, jarenlang.

Op dat moment was in en rond Potocari de massamoord op de mannen begonnen. Een genocide die amper enkele dagen duurde en duizenden slachtoffers maakte.

Kada: 'En kijk ons hier nu. Na maanden ellende in die vluchtelingenkampen, zijn heel wat vrouwen naar Sarajevo gekomen. Nu krijgen we een klein pensioentje waarvan we amper kunnen leven. Als je onze situatie nog "leven" kan noemen. We zijn al blij als we de huur kunnen betalen. Onze mannen zijn dood, onze dochters meestal in het buitenland. We zijn hier alleen. Van het leven genieten is er niet meer bij. We zijn net lege dozen. Ons hart, onze ziel hebben ze toen in juli 1995 uit ons lichaam gesneden. We leven in Sarajevo, maar in ons hoofd zit er maar één naam: Srebrenica.'

Munira: 'Voor de tiende verjaardag, in 2005, willen we een museum hebben. De fabriek in Potocari zou aan een stichting moeten toebehoren en een museum worden. Daar willen we alle persoonlijke dingen die gevonden werden een plaats geven. Mijn man werd geïdentificeerd en op 11 juli 2004 werd hij begraven in Potocari. Naast zijn lichaam werd zijn metalen tabaksdoos gevonden en ook de ijzeren draad waarmee zijn handen waren samengebonden toen ze hem doodschoten. We weten nu met zekerheid dat heel veel mannen werden doodgeschoten terwijl hun handen op de rug met ijzerdraad waren samengebonden.

Françoise heel even ontspannen op de 'Place des pigeons'
in Sarajevo

Sommige mannen waren geblinddoekt toen ze vermoord werden. Wel, zo'n dingen moeten in het museum getoond worden. Iedereen zal met zijn eigen ogen zien hoe beestachtig onze mannen werden afgemaakt. Weet je dat we met de aanvang van de begraafplaats en het memoriaal pas in 1999 zijn begonnen? En onze opdracht is nog niet te einde, onze zoektocht ook niet. Wij vrouwen, wij willen antwoorden. Op al onze vragen!'

Tot nog toe heeft Advija niks gezegd. Ze is vijfenzestig en heeft een heel mild gezicht. Haar grijze haren zijn netjes naar achteren gekamd. Met de ene sigaret steekt ze de andere aan. Onze blikken kruisen elkaar. We zuchten haast tezelfdertijd. Ze glimlacht naar me, uitnodigend. Maar ik wil weg, er drukt te-veel ineens op mijn hart.

'Kunnen we morgen nog eens langskomen?', vraag ik Munira.

'Ja, ja we zijn hier altijd, het is onze thuis.'

Françoise is ook ontredderd door de verhalen. We hebben verse lucht en koffie nodig.

Aan de *Place des pigeons* in Sarajevo, waar we op een terras plaatsnemen, vliegen de duiven aan en af, driftig op zoek naar wat voedsel. In het midden van het plein staat een fontein. Een oude man klimt moeizaam op de steen voor de fontein. Hij plaats een zwart tasje naast zich en haalt er een tandenborstel uit. Dan wrikt hij zijn valse tanden uit zijn mond, houdt ze onder de waterstraal en wrijft ze met het borsteltje schoon. Wij kijken gefascineerd naar dit menselijke schouwspel en maken er een paar grapjes over.

Het plein trekt zich niks aan van de arme man die wellicht niet over een eigen wasplaats beschikt. Het plein leeft gewoon verder. Alsof er geen Srebrenica was, alsof er nooit dodende granaten vielen. Meisjes met piepkleine T-shirts die niks meer aan de verbeelding overlaten, staan in groepjes met jongens te praten. Mama's met kinderwagens genieten van de zon.

'Françoise, ik hou mijn hart vast voor de toekomst van die mensen hier, vooral voor de vrouwen van Srebrenica.'

Wat zal er over een jaar met hen gebeuren? Nu nog horen ze samen, hebben ze veel werk en staan ze volop in het middenpunt van de belangstelling. Daarna zal de stilte volgen, de onverschilligheid van de internationale gemeenschap. Wie zal nog aandacht geven aan een groepje vrouwen dat nog steeds op zoek is naar een been of het hoofd van hun geliefde? Wie zal daar nog wakker van liggen?

'Kom,' reageert Françoise, 'laat ons normaal doen, we gaan winkelen, geschenkjes zoeken.'

We hebben haar echtgenoot beloofd een muziekinstrument mee te brengen. We hebben eindelijk iets leuk om handen.

Rijad Granibegovic
Rijad Granibegovic staat ons de volgende morgen aan de bibliotheek van Sarajevo op te wachten. De prachtige bibliotheek langs de Miliackarivier werd tijdens de oorlog in puin geschoten. Tot grote ergernis van alle inwoners van Sarajevo, die de bibliotheek als hun culturele ziel beschouwden. Het gebouw werd gerestaureerd. De oude boeken zijn helaas voorgoed verbrand. Rijda Granibegovic is een charmante professor met staalblauwe ogen. Hij geeft Frans aan de universiteit van Sarajevo en is 28 jaar.

'Of neen, 29. Nee, nee, ik ben inderdaad 28.' Op zo'n leeftijd mag men al eens onachtzaam met een jaar minder of meer omspringen. Na de oorlog is hij aan een Franse universiteit gaan studeren.

Rijad: 'Zelfs tijdens de oorlog bleef ik van Sarajevo houden, al was het leven hard en bijzonder moeilijk. Ach, het is niet uit te drukken, het is genoegzaam bekend. Maar vandaag, meer dan tien jaar later, is het leven hier ook bijzonder moeilijk. Nog minder uit te houden. Vooral als je je betrokken voelt natuurlijk. Bovendien is heel Bosnië nog steeds een hel, een economische ellende.

Ach, we zien Sarajevo nog te veel als die vrolijke, interessante multiculturele stad van vroeger, één grote smeltkroes waar vriendschap zo evident was. Waar lachen onze natuurlijke gave was. Als ik mij nu eens ontspan, heb ik het gevoel dat ik vals speel. Lachen is als ontsnappen aan je schuld. De spanningen tussen de mensen hangen nog altijd zwaar in de lucht. Conflicten lopen hier dagelijks hoog op. Niemand vergeet en niemand vergeeft. Weet je, ik heb het even onderzocht met mijn studenten. Het woord 'haat' is één van de meest gebruikte woorden hier. Misschien, misschien over tien jaar zullen we opnieuw normaal met elkaar kunnen omgaan. Nu zeker nog niet. Ook met mijn studenten moet ik daar rekening mee houden. We spreken over vrede, hoe we met elkaar moeten omgaan. *Se comprendre, hein!* Na de les staan ze elkaar soms uit te schelden.'

De professor wil voor mij tolken bij Fatima Husejnovic, ook een Srebrenica-slachtoffer. Ze verbleef lange tijd in vluchtelingenkampen in Tuzla en leeft sinds een paar jaar in Sarajevo. Ze woont in een weinig comfortabel appartement, in één van de grauwe blokken waarvan enkel de voorkant gerestaureerd is.

Haar dochters, die naar het buitenland geëmigreerd zijn, hebben dit appartementje voor haar gekocht en sturen regelmatig wat geld. Vooral haar oudste dochter die in Duitsland woont, neemt het grootste deel voor haar rekening. Het is echter niet toereikend. Meer durft Fatima niet te vragen. Geld voor een dokter of tandarts heeft ze niet. Om haar woorden te onderstrepen opent ze haar mond en toont haar geteisterde, bruine tanden. Of wat ervan overschiet. Een fenomeen dat me bij veel vrouwen in Bosnië is opgevallen. Met soms een te opvallende streep lippenstift camoufleren ze hun gebrek aan gezondheidszorg of liever: hun gebrek aan geld voor fundamentele tandverzorging. Een stralende witte glimlach zit er nooit in.

Rijad, Françoise en ik zitten netjes op een rij op de enige sofa in de kleine woonkamer. Fatima zit voor ons op een stoel. De enige andere stoel staat aan de tafel. Met de televisie, die op een klein kastje staat, zijn alle meubels opgenoemd.

Fatima Husejnovic lijkt een moedige vrouw. Ze gaat er prat óp dat ze een verzetsstrijdster was en verzetsdaden heeft gepleegd.

Fatima: 'Al direct toen de oorlog begon, heb ik me voor mijn volk ingezet. In 1992, na de eerste aanvallen, vertrokken heel wat Serviërs uit Srebrenica.

Met have en goed. Er werd natuurlijk ook veel geroofd. Vanaf de eerste maanden bleven wij verpauperd achter. Meteen hebben we een groepje opgericht. Uit de appartementen die door de Serviërs waren verlaten, haalden we medicijnen, het overblijvende voedsel. We vonden veel, heel veel. De Serviërs zullen ook nooit hebben gedacht dat de oorlog zo lang zou duren. We vonden ook veel wapens die we naar onze soldaten in de heuvels smokkelden. Ik heb me daarover nooit schuldig gevoeld. Is het een misdaad om voedsel te stelen als je honger hebt, of wapens aan de jongens te geven die ons moeten verdedigen?

Na een tijd waren we beter georganiseerd en kreeg ik een typische opdracht. Ik moest post stelen. In de verlaten huizen en appartementen van Serviërs kwam er nog steeds post toe. Daar zaten soms heel belangrijke berichten bij. Belangrijk voor ons leger, bedoel ik. Ik werd de communicatie tussen Srebrenica en de soldaten in de heuvels. Als ik de brievenbus niet langs buiten kon leeg maken, ging ik binnen langs de vensters. Nooit ging ik langs de voordeur, want dan zouden ze merken dat er iemand binnen was geweest. Ik werd specialist in het openprangen van vensters. Ik kleedde me helemaal in het zwart, als een zwarte kat. Op een nacht sloop ik voorzichtig langs een muur en net als ik over het balkon gleed, weerklonken er schoten. De Servische soldaten hadden op de een of andere manier informatie doorgekregen en wachtten me op. Waarschijnlijk hadden ze toch een verkeerd huisnummer doorgekregen. Ze hadden me gezien, maar schoten op het venster van de buren. Ze bleven maar schieten. Langzaam heb ik me achteruit laten schuiven, beetje bij beetje, zonder een gebaar. Toen ik ver genoeg uit hun vizier lag, ben ik blijven liggen. Boven het angstige kloppen van mijn eigen hart, hoorde ik hen lachen. Vreemd genoeg zijn ze niet eens naar mijn 'lijk' komen kijken, na een tijdje zijn ze weggegaan. Een paar uur later ben ik weggelopen. Vanaf dan ben ik wel voorzichtiger geworden, al ben ik verder in het verzet gebleven. Maar 's nachts kwam ik niet meer buiten, tenzij ik zeker was dat het veilig was, dat er geen Servische soldaten op straat waren.

Ook mijn broer Sefkja zochten ze. Samen met mijn oudste broer stond hij op een lijst om te worden opgepakt en te worden gedood. Sefkja hebben ze uiteindelijk op een dag voor de deur doodgeschoten, mijn andere broer is naar Zagreb kunnen ontsnappen. Mij hebben ze op een dag ook zwaar gestraft, ze hebben me zwaar mishandeld.'

Professor Rijad maakt een gebaar met zijn hand. 'Ik vertel het later wel.' Later vat Rijad het verhaal in één korte zin samen: 'ze werd verkracht.'

Het heeft Fatima er niet van weerhouden om haar strijd verder te zetten. Ze is de eerste vrouw die al de eerste maand na het begin van de burgeroorlog een vrouwenorganisatie oprichtte: Vrouwen van Srebrenica.

Juli 1995, vertwijfelde mensen op de vlucht naar Potocari, het kamp van de VN

Een dag later: de vrouwen komen in het vluchtelingenkamp in Tuzla aan. De mannen worden ondertussen gedood

De Nederlandse blauwhelmen wachten af

Mladic deelt, terwijl de camera's draaien, water en snoep uit

Fatima: 'Het was onze vrouwenorganisatie die in 1993 het verzet tegen het vertrek van de Franse generaal Morillon organiseerde. Nadat we als *Safe Area* werden uitgeroepen, werden we inderdaad niet meer zo veelvuldig vanuit de lucht gebombardeerd, maar de granaten kwamen dan uit de heuvels en richtten evenveel schade aan. Er is een slachting geweest op de grote markt: 56 mannen, jonge studenten ook, werden er vermoord. Ze waren samengekomen om over hun toekomst en de betekenis van *Safe Area* te spreken. Een paar granaten en ze waren allemaal dood. Over deze aanval wordt nooit meer, of zeker niet veel meer, gesproken. Vooral de Vereniging van Moeders van Srebrenica en Zepa zwijgen erover. Ze zijn bang dat de aandacht niet meer volledig naar die andere grote tragedie zou gaan. Een andere miskleun is de kritiek en de zogenaamde incompetentie van de Nederlandse blauwhelmen. Wat hebben de Canadezen gedaan? Niks! Over de vriendschap tussen de Serviërs en de Nederlanders heb ik veel gehoord. Maar ik heb het nooit met eigen ogen gezien. Heel dat VN-apparaat mag zich eens goed op de borst kloppen. Drie jaar hebben we daar zonder hulp gezeten. Van 1992 tot 1995, een lange onhoudbare, miserabele toestand. Voor iedereen. En telkens als de Serviërs een dorp etnisch zuiverden, raadden ze de mensen aan naar Srebrenica te vluchtten. Ze liepen op die manier allemaal recht in de val.'

Fatima huilt, de professor kijkt me aan en haalt zijn schouders op. Ook Françoise krijgt het moeilijk, tranen staan bij haar altijd makkelijk te dringen. We zullen maar een kopje koffie drinken.

'Niemand zet koffie als Fatima,' moedigt de professor haar aan.

'Maar denk niet dat ik me heb laten doen hoor,' gaat Fatima tenslotte strijdlustig verder. 'Uit een legerauto heb ik met een paar mensen een batterij gestolen. Er was al een hele tijd geen elektriciteit meer. Geen televisie, geen radio. Op die batterij heb ik mijn radio aangesloten en telkens er een nieuwsuitzending was, zette ik de radio op mijn balkon zodat heel de omgeving kon meeluisteren. Op den duur stond er grote kring mensen rond mijn balkon als het nieuws begon. In het begin van 1995 begrepen we dat de situatie slechter werd. Op het moment dat Nasev Oric, de commandant van het Bosnische leger, uit Srebrenica wegging naar Tuzla. Ik wil hier niet over politiek beginnen, ook niet over de figuur van Nasev Oric, maar wat is dat voor politiek die het volk in de steek laat? Ik voelde me als een verlaten kind. Ik had zoveel gedaan, mijn leven geriskeerd om hen te helpen. En plots waren ze weg. In een oorlog kan je staan jammeren dat het zo vreselijk is, of je kan iets doen om je volk te helpen. Je kan een rol spelen. Dat het in een oorlog om wapens draait, is nu eenmaal zo. Ik keur dat ook niet goed, maar heb je al een oorlog weten uitbreken waar ze naar elkaar met sneeuwballen gooien? In elk geval, toen Oric en zijn troepen er nog waren, voelden de mensen zich veiliger. Na hun vertrek veranderden de dingen. De Serviërs hadden alles afgesloten, er was geen enkele brandstof meer. Zelfs de Nederlanders moesten te voet gaan.'

Fatima haalt uit haar kastje een stapeltje papier. Pagina's volgeschreven, maar waarvan de inkt helemaal is uitgelopen. Hier en daar zitten grote gaten in het papier. De tekst is onleesbaar.

Fatima: 'Over alles wat er gebeurd is, heb ik elke dag korte nota's genomen. Van onze verzetsgroep, van de vrouwenorganisatie, van de vijandelijkheden vooral, van alles. Toen ik ook in juli 1995 werd gedeporteerd, heb ik de papieren op mijn buik gebonden, maar ik heb zoveel angsten uitgestaan en zo gezweet dat er overal gaten in kwamen. Weet je, de Serviërs kenden me, ze hielden me al zolang in het oog, hé. Ik dacht, als ze die papieren vinden, ga ik er onverbiddelijk aan. Plus, ze krijgen hier niet alleen gratis informatie over hun eigen wandaden, maar ook over ons verzet. Misschien gebruikten ze dan mijn informatie als excuus. Dus ik marcheerde tijdens die hete dagen in juli in die colonne naar Potocari, met mijn ene hand op mijn buik, gereed om de papieren te vernietigen en in mijn andere hand een koffertje met wat kleding.'

Fatima neemt nog eens het betrekkelijk dunne bundeltje op.

Fatima: 'Waar kan ik die vodjes nog laten zien nietwaar? Het zijn unieke documenten, om aan te tonen welke misdaden er werden gepleegd. Ik dacht: "Met die nota's, gaan die moordenaars nooit vrijuit." Maar helaas, de angst heeft de bewijzen uitgeveegd. Er staat niks leesbaars meer op. En nu zit ik hier in Sarajevo, sinds twee jaar. Ik ben de hele tijd in Tuzla gebleven. Mijn man werd, net als zoveel mannen, meegenomen en is nooit teruggekeerd. Zijn lichaam werd nog niet geïdentificeerd. Ik heb er dus geen idee van waar hij vermoord werd, of hoe hij gedood werd. Krijg ik een hand, een schedel of misschien enkel een uurwerk terug? Het is een cliché natuurlijk, maar zolang je niks tastbaars hebt, hoop je. Ondertussen hou ik me nog wat met organisaties bezig, maar uiteindelijk voel ik me hier ontzettend eenzaam en zo verschrikkelijk nutteloos. De misdaden zijn gepleegd, er zijn slechts een paar criminelen voor de rechtbank gebracht en voor de rest is het afwachten. Op wat? Je ziet toch ook hoe slecht het hier gaat. En wat heb ik gedaan? Heb ik één leven kunnen redden? Nu heb ik nog één doel. Op een dag wil ik terug naar Srebrenica. Naar mijn Srebrenica.'

Rijad moet in de namiddag terug naar de universiteit om les te geven. Minzaam neemt hij afscheid en zegt dat hij blij is dat hij op de een of andere manier zijn land en de waarheid heeft kunnen dienen. Voor de tweede keer wandelen

Françoise en ik door het centrum van Sarajevo. Alsof de stad op ons een vreemde aantrekkingskracht uitoefent. We wandelen langs de Markale markt, waar de stalletjes rijkelijk gevuld zijn. Er liggen stapels paprika's, uien en look. Mensen schuiven aan, slaan een praatje, wisselen weersverwachtingen en familiewedervaren uit. Een doodnormale markt zo te zien. Met nadruk op dood. In februari 1994 werden er door een granaatinslag 68 mensen gedood, in augustus 1995 vonden er 37 mensen hun levenseinde. Het leven gaat verder. We besluiten om terug naar het kantoor van de vrouwen van Srebrenica te rijden. Morgen willen we naar Srebrenica zelf gaan. Advija heeft beloofd met ons mee te gaan. Ze wil ons haar huis laten zien. Ze wil ons ook de plaats van de genocide laten zien.

Zoals gewoonlijk zijn de Moeders van Srebrencia druk bezig. Het kleine kantoor dat hun biotoop geworden is, geeft hen een groot gevoel van geborgenheid. We worden als anciens ontvangen. Dit keer heeft Françoise wel degelijk enkele potten confituur naar boven gesleept. Verwonderd kijk ik naar de dankbaarheid van de vrouwen. Kan je zo arm zijn dat een pot confituur het verschil maakt?

Sabra vraagt of we nog enkele dagen in Sarajevo willen blijven. Bij hen.

'Het geeft zo'n goed gevoel als jullie hier zijn,' zegt ze.

Sorry, maar wij moeten doorgaan. We hebben een programma, ons eigen druk leven. Françoise in Frankrijk, ik in België.

'Maar je komt toch nog dikwijls terug?'

We beloven terug te komen.

'Weet je wat,' zegt Sabra, 'ik ga morgen mee naar Srebrenica. Ik heb daar nog een rekening te vereffenen.'

Munira komt tussen. Laat haar gezag even gelden.

'Jij blijft hier Sabra,' zegt ze streng en lacht dan weer stralend naar ons.

'Sabra ging een paar weken geleden naar Srebrenica. Ze heeft er de moordenaar van haar zuster vrij zien rondlopen. Ze zou dwaze dingen doen,' legt Munira uit.

Sabra lacht en toont haar lange nagels: 'grrrr,' zegt ze.

Alsof we ons moeilijk kunnen losmaken van de vrouwen die hun verleden met ons deelden en van wie de toekomst er niet goed uitziet, blijven we nog een hele tijd in het kantoor hangen. We drinken koffie, bekijken foto's, praten wat.

'Misschien kunnen we beter gaan, Françoise, we hebben nog werk,' merk ik na een tijd op.

'Werk? Welk werk?'

'Als Advija morgen met ons meerijdt, moeten we heel onze auto herschikken.'

'Mon Dieu!'

We spreken af: 'Morgen om 9u30 komen we je halen, Advija.'

Bij mama Nejrema wacht ons een klein afscheidsdiner. Ermin en Ermira hebben zich mooi opgemaakt. Zij zijn onze enige tafelgenoten. Op de televisie is een belangrijke voetbalmacht aan de gang. De man van Ermira en de Servische vriend van Ermin blijven voor het televisietoestel zitten. Zoals steeds bedient mama ons, hinkend en met een heel innemende glimlach.

Françoise haalt een nog een fles rode wijn uit haar auto en een fles porto. Er valt nochtans niet zoveel te vieren.

Srebrenica, anno 2005

Eenzaamheid in Srebrenica

Vandaag zullen Françoise en ik onze tocht verderzetten. Ermin heeft het gestommel in onze kamer gehoord en wacht ons in de gang op om afscheid te nemen. Hij draagt een stijlvol pak en een das, die de belangrijkheid van zijn buitenlandse job onderlijnen. Terwijl we beloften doen om elkaar te schrijven, te bellen en te bezoeken, waait de deur van Ermins slaapkamer langzaam open. In zijn bed ligt de Servische vriend, halfnaakt en omdat hij geen erg heeft in ongewenste toeschouwers, strekt hij zich behaaglijk uit als een wellustige poes die net de geneugten van het leven proefde. Françoise en ik kijken verbaasd naar die jongen waar we heel ons verblijf geen woord mee hebben gewisseld en die er als zogenaamde huisvriend televisie kwam kijken.

Mama Nejrema merkt de situatie, schrikt en trekt snel de slaapkamerdeur dicht. Gegeneerd lacht ze naar ons. Ze ziet er ontdaan uit, het was duidelijk niet de bedoeling dat we achter dat geheim kwamen. Ik heb met haar te doen, maar hoe kan ik haar vertellen dat wij homoseksualiteit allang als normaal beschouwen.

Bij het afscheid leg ik mijn armen rond haar en verzeker haar dat ze een heel toffe dochter en vooral een heel speciale zoon heeft. Ze heeft me niet begrepen en Ermin, die het had kunnen vertalen, is ondertussen vertrokken. Als Françoise en ik wat later onze bagage buitensjouwen, en haar uitgebreid willen bedanken, wuift ze onze complimenten weg en sluit opvallend vlug de deur. Voor haar is ons hoofdstuk met schaamte afgesloten.

Advija zit al klaar om naar 'huis' te gaan. Haar koffertje op haar knieën, de eeuwige sigaret in haar rechterhand. Sabra is kwaad omdat ze niet mee kan. Haar gebaren en woorden zijn kortaf.

'Sabra,' probeer ik haar te troosten, 'we hebben echt maar één plaatsje.'

'Maar, neen,' zegt ze, 'Isobel zal rijden.'

De Engelse Isobel Denham verblijft al jaren regelmatig in Sarajevo en is verantwoordelijk voor een Engelse organisatie. Ze spreekt niet alleen de taal, maar kent zowat iedereen. Vooral de Moeders van Srebrenica zijn haar vrienden, en in het bijzonder Sabra.

Munira laat zich niet vermurwen. Uiteindelijk vertrekken we zonder Sabra.

Ibrahim dood: 1995. Allemaal dood: 1995

Advija wandelt met haar koffertje buiten zonder naar iemand om te kijken of iets te zeggen. Alsof ze vlucht voor mogelijke commentaar of raadgevingen.

Kada schudt even haar hoofd: 'Ze wil altijd naar huis, naar Srebrenica, maar binnen een paar dagen is ze hier terug. Er valt daar voor haar en voor ons allemaal niet meer te leven.'

Al bij al zijn we blij dat Advija plaatsneemt in de Renault Mégane van Isobel. De bagage, de kaas, de wijn en de confituur mogen dan netjes op elkaar gepakt liggen, de ruimte blijft beperkt. Dapper volg ik Isobel in ons piepkleine wagentje, terwijl Françoise zoals steeds honderduit over alles en nog wat vertelt of recepten voor lekkere gerechten debiteert, zodat ik steeds aan thuis, aan mijn keuken, moet denken en hoe ik straks mijn familie zal trakteren op nieuwigheden die tot dusver veelbelovend klinken. Srebrenica ligt ongeveer 150 km van Sarajevo. De weg die we afleggen, loopt ook doorheen het slachtveld van de genocide. Zelfs los van dit gruwelijke feit is een rit door Bosnië een weinig vreugdevolle onderneming. Bosnië is een deprimerend land, een schandvlek op de Europese kaart. Als we niet voortdurend voor mijnenvelden worden gewaarschuwd, kijken we tegen ruïnes aan, of tegen een sombere leefwereld. Rond de middag stoppen we in Kladanj om een koffie te drinken. Kladanj was de plaats waar de vrouwen tijdens de genocide in juli 1995 de bussen moesten verlaten en 6 kilometer verder wandelden om tenslotte met andere bussen naar de vluchtelingenkampen op het vliegveld van Tuzla te worden gebracht. Kladanj ligt op de grens van moslim- en Servisch gebied en als we verder rijden zullen we onze gids Isobel heel dankbaar zijn. Alle weg- en straataanduidingen zijn voortaan enkel in het cyrillisch vermeld. Voor mij een totaal vreemde taal. Volgens Isobel en Advija is ze makkelijk te begrijpen. Ik begin er niet aan. We drinken een koffie op een terras in Kladanj. Zoals altijd zit Advija mild en triestig voor zich uit te kijken.

Rond de middag komen we in Potocari aan en stappen uit. Advija kijkt in de richting van Srebrenica, dat iets verder ligt. Ze wijst met haar vinger: 'Mijn geliefde Srebrenica,' zegt ze en glimlacht even.

'Heb je dat nieuwe benzinestation aan de hoek gezien?', vraagt Isobel. 'Onder het betonnen plateau liggen nog honderden lijken van mannen die zijn afgeslacht. Het zal heel wat inspanningen vergen om die daar ooit weer vanonder te halen. We vermoeden dat de mannen die daar liggen op een vreselijke manier zijn gedood. Ze hebben daar gewoon een benzinestation op gebouwd. Je mag er zeker van zijn dat de belanghebbenden bij de bouw van het station ook bloed aan hun handen hebben.'

Het kamp waar de blauwhelmen verbleven en in juli 1995 de vluchtelingen in wanhoop samenstroomden

Een kerkhof met de eerste teruggevonden slachtoffers van de genocide

Net tegenover de fabriek, de *compound*, waar de blauwhelmen op de bovenste verdieping verbleven, liggen het Memorial en het kerkhof met honderden groene houten gedenkplaten waar telkens één naam en twee data op staan. Het jaar van geboorte en van de dood. Dat laatste, het stervensjaar, is overal hetzelfde: 1995.

Het marmeren monument bij de ingang van het Memorial is beschadigd. De helft ligt aan diggelen op de grond. Duidelijk door vandalisme geraakt.

'Neen, neen,' zegt Advija, 'het is de wind.'

Isobel legt uit dat de vrouwen de vandalen niet het genoegen willen gunnen te tonen dat ze gekwetst zijn. Bij elke vandalenstreek herstellen ze de schade en geven de natuur de schuld. Daardoor krijgen de misdadigers geen stem.

Het Memorial is gebouwd op het 'White House' zoals de plaats tijdens de genocide werd genoemd. Ook daar vonden honderden mannen door nekschoten de dood.

Aan de linkerkant van het Memorial zie je hoe het VN-kamp duidelijk over het slachtveld uitkeek. Rechts in de heuvels wonen nu Bosnische Serviërs die de leegstaande huizen na de genocide in beslag hebben genomen. Dag en nacht moeten ze dit indrukwekkende Memorial aanschouwen. We bezoeken de kleine tentoonstellingsruimte met huiveringwekkende zwartwitfoto's en lopen ingetogen langs de rijen groene gedenktekens waar kleine hoopjes aarde telkens het overschot van een mens bedekken.

Srebrenica zelf is, op een paar uitzonderlijk luxueuze huizen bij het binnenrijden van de stad na, nog helemaal vernield, vuil en vooral heel stil en eenzaam. De stad vult zich maar langzaam opnieuw. Vooral oude mensen bevolken de stad. Een fenomeen dat overigens heel Bosnië treft. Jonge mensen zijn gesneuveld of naar het buitenland gevlucht. Naar Canada, Nederland, Zweden, België, enz., vanwaar ze kleine geldsommen naar hun moeders sturen zodat die hun karige bestaan heel spaarzaam kunnen verderzetten. Meegestuurde foto's van kerstfeesten en plechtige communies moeten aantonen dat de moeder zich over haar kinderen geen zorgen meer hoeft te maken. Het gaat dus goed, behalve met dat drukkende gevoel van heimwee en verlangen om ooit nog eens de kinderen in de armen te nemen of zelf eens te gaan kijken hoe ze het werkelijk stellen.

Advija's lot is gelijklopend. Ze heeft een dochter in Canada en één in Nederland. Daardoor kan ze haar huis in Srebrenica houden. Het huis is in een uiterst prille renovatie blijven steken. Het is een uitgerookte ruïne. De sporen van een felle brand zijn nog duidelijk zichtbaar. Dragan Iovanovic had in mei 1995 'zijn mannen' de opdracht gegeven heel de straat in vuur en vlam te zetten. Advija kon met haar familie net op tijd vluchten. Anderen hadden minder geluk en werden levende toortsen.

De steeds mistroostige Advija

'Ik ben dan tot juli, tot de fatale datum, bij familie in Srebrenica gebleven,' zegt Advija. Deze beslissing zou voor de mannelijke kant van de familie in 1995 fataal worden.

Advija's huis ligt tegen een heuvel, de trappen naar het huis zijn levensgevaarlijke brokstukken. Het duurt een tijdje eer je veilig aan de voordeur komt.

Alsof ze van een heel lange reis terugkeert, steekt Advija opgewekt de sleutel in haar deur.

'*Home sweet home!*' Ze loopt door de vertrekken op het gelijkvloers die hersteld zijn, verschuift hier en daar wat prullaria en zet dan water op het gasvuur. Françoise en ik mogen in de living annex keuken op een paar kussens slapen. Isobel lijkt haar vaste stek in de kamer van Advija te hebben. Er is nog een piepklein badkamertje met toilet, maar we krijgen de raad zorgzaam met het water om te springen, het is namelijk bijzonder schaars. De trappen naar de bovenverdiepingen zijn niet hersteld en leiden verder naar de blote hemel. Het eten dat Françoise uit haar auto naar binnen brengt, lijkt bijzonder welkom. Er is

Advija's huis in Srebrencia, alleen het gelijkvloers is hersteld

geen koelkast en de andere kasten zijn, op een paar borden en kopjes na, leeg. Maar Advija is thuis.

Isobel: 'Bij elke gelegenheid komt ze naar hier. Ze gaat nooit buiten, spreekt met niemand en na een paar dagen smeekt ze om terug naar Sarajevo te gaan. En toch houdt ze vol dat het hier haar "thuis" is.'

Met Isobel wandelen we door Srebrenica. Een wandeling door een stad vol haat en eenzaamheid. Op de hoek van een straat staat een blonde veertiger vrolijk te converseren met een andere man.

'Kijk,' zegt Isobel, 'dat is Drago Tesic, de man die hier in het stadhuis de lakens uitdeelt, maar eigenlijk in Den Haag had moeten zitten. Het is die man die Sabra wil aanpakken.'

Drago Tesic merkt ons op en als hij ziet dat ik naar mijn fototoestel grijp, maakt hij zich vliegensvlug uit de voeten en laat zijn verbouwereerde gesprekspartner staan.

We wandelen door de grote straat, waar hier en daar op een balkon een vrouw zit te breien. Isobel brengt ons naar het huis van Havija Fazlic. Een moslimvrouw die samen met haar twintigjarige dochter, Amra, naar Srebrenica is teruggekeerd. Vast van plan haar leven hier verder te zetten.

Niettegenstaande het laat in de middag is, loopt ze nog in haar pyjama rond, haar hoofd wel bedekt met haar hijjab. Bezoek is voor de familie Fazlic heel ongewoon. Samen met Amra was Havija net een tafel aan het schilderen. Een oude tafel die ze ergens uit ruïnes heeft opgevist. De twee andere dochters van Havija wonen in Zweden. De mannelijke familieleden, vader en een zoon, hebben ook het Srebrenica-drama niet overleefd. De vader ging met zijn zoon mee op de eerste bussen die vanuit Potocari vertrokken. In Kladanj werden de bussen door het Bonisch-Servische leger tegengehouden en moesten ze de bussen verlaten. Pas enkele kilometers heeft hun weg naar de vrijheid geduurd, daarna ging hun lot regelrecht de dood in.

Amra reageert heel opgewonden op ons bezoek. Die afleiding is voor haar een godsgeschenk. En dat we uit het buitenland komen, laat haar alleen maar hopen dat wij misschien de mogelijkheid zullen aanreiken om haar mee te nemen, zodat ze uit Srebrenica kan vertrekken. Want ze wil weg, daar laat ze geen twijfel over bestaan.

Ik wil haar vragen: 'En je moeder dan?' Maar in Bosnië heeft de oorlog het lot van moeders bepaald, ze blijven alleen en eenzaam achter. Na enkele jaren in een vluchtelingenkamp in Tuzla, een kort verblijf in Sarajevo bij familie, is Havija met haar dochter een paar jaar geleden naar Srebrenica teruggekeerd. Ze wil tonen dat men er niet in geslaagd is haar klein te krijgen. Bovendien wil ze dicht bij Resid en Bakir Fazlic zijn, die op het kerkhof van Potocari liggen. Pas sinds twee jaar weet ze zeker dat ze dood zijn, tot dan bleef er altijd een kleine hoop. Misschien, misschien. Veronderstellingen die op de dood zijn uitgedraaid. Samen met de lijkkisten is ze teruggekeerd.

Havija laat haar verfborstel staan en als een fee tovert ze voor ons een heerlijke *baklava*, alsof iemand haar had ingefluisterd dat er bezoek op komst was.

'Maar neen,' zegt ze, 'wij zijn altijd op bezoek voorbereid, zelfs al komt er in duizend jaren niemand over de drempel.'

Amra vertaalt en knikt instemmend. Amra is een mooi meisje met grote bruine ogen en een opvallende hese stem.

Ze was tien jaar toen ze op een dag haar poppen aan de kant moest leggen en aan de hand van haar moeder mee moest naar een fabriek in Potocari waar heel veel volk op elkaar gepakt stond. Haar twee oudere zussen, haar broer en papa waren ook mee. Ze waren allemaal heel opgewonden. Mama huilde, haar zussen praatten heel stil met elkaar. Na enkele kilometers klaagde Amra dat ze moe was, dat ze even wou zitten, maar papa maande haar aan nu niet te zeuren.

'Alles komt in orde, maar je moet nu moedig zijn Amra,' zei hij. De binnenplaats van de fabriek stond vol, ze moesten op de straat naast de fabriek blijven.

'Ik heb dorst,' klaagde Amra. Ze vroeg zich af wat ze daar allemaal deden. Iedereen keek zo verschrikkelijk ernstig. Zoveel vrouwen stonden te huilen. Mama had wat water bij, ze moesten er heel spaarzaam mee omspringen.

'Zet je maar neer,' zei papa. Amra ging bij haar twee zussen en broer midden op de straat zitten. Ze bleef haar vader goed in het oog houden, telkens hij even verschoof stond ze recht. Amra had heel veel vertrouwen in haar vader, zolang hij maar bij haar was zou er niks gebeuren. Er kwamen militairen af en aan, telkens ging er een deining door de massa. Toen kwamen televisiecamera's. Men zei steeds: 'je moet niet bang zijn, er zal niks gebeuren.'

Amra moest verschrikkelijk plassen, maar waar kon je naar toe gaan? Uiteindelijk vormde de familie een kringetje rond het meisje en het straaltje urine maakte een beekje en liep voorzichtig over de warme stenen onder de voeten van de andere mensen.

De volwassenen deden heel druk, soms hoorde je mensen schreeuwen. Amra vond een paar vriendinnetjes, ze schoven naar elkaar. De ouders reageerden verschrikt. 'Neen, bij ons blijven.' De vriendinnen maakten leuke signalen naar elkaar. Het werd donker, behalve wat koekjes, hadden ze niks gegeten. Iedereen ging op de grond zitten, kinderen legden hun hoofd in de schoot van de moeders. Amra's grote broer begon te huilen. 'Waarom?', vroeg Amra. 'Van de zenuwen,' antwoordde papa terwijl hij tot Allah bad. De volgende morgen zag Amra het lijkbleke gezicht van mama, de harde trek rond de mond van papa die steeds weer zijn arm rond mama legde. Haar broer klaagde, haar zussen klaagden, iedereen voelde zich smerig en was versuft. Het slapen op de harde stenen, het stof, het gebrek aan hygiëne, maakte hen humeurig. Het begon op die plaats ook heel slecht te ruiken. Na enkele uren kwamen er tractors en bussen aangereden. Papa nam haar hardhandig vast. 'Kom, vlug, allemaal bij elkaar blijven.' Ze wrongen zich tussen de massa naar voor en konden bijna als eersten op een bus plaatsnemen. Mama lachte opgelucht, papa zei dat het ergste voorbij was...

Amra zal ons tijdens ons verblijf in Srebrenica niet meer loslaten. Ze vergezelt ons overal en wordt ook onze vaste vertaalster. Als we over straat lopen, maken sommige mannen het extremistische Cetnik gebaar naar haar. Ze steken spottend drie vingers omhoog. Amra trekt het zich niet aan.

'Bah,' zegt ze, 'ik haat hen ook, maar ik laat het niet zien.'

Nu en dan klinken geweerschoten, maar niemand lijkt zich druk te maken. Als ik vraag wat het betekent, haalt Isobel even haar schouders op. Dus besluit ik maar er verder geen aandacht aan te geven.

Omdat alle verhalen twee kanten hebben, wil ik absoluut ook met Servische vrouwen praten.

Isobel neemt ons mee naar Amica, een Servische vrouwenorganisatie die met kinderen werkt. Tijdens en na de oorlog werkten ze samen met een Noorse organisatie Save the Children. Nog tot het einde van het jaar hebben ze wat geld, dan zijn de bronnen en de interesse opgedroogd en moeten ze afhaken.

Amra weigert om naar de Servische vrouworganisatie Amica mee te gaan. 'Naar de Serviërs ga ik niet mee,' zegt ze, 'ik blijf aan de deur wachten.'

'Al je hier niet meegaat, dan is er nooit vrede mogelijk,' repliceer ik wat verstoord.

'Bovendien, Amra, het is niet zeker dat de vrouwen van Amica Engels spreken, ik heb je hulp nodig.'

Amra laat zich uiteindelijk overhalen en inderdaad: we hebben haar hulp als vertaalster nodig.

We worden door Mirjana Jakonivlic en Njekoslava Perkovic ontvangen. Mirjana nodigt ons heel vriendelijk uit om plaats te nemen, Njekoslava bekijkt ons heel argwanend. Haar duistere blik zal gedurende het gesprek geen enkele keer verhelderen. Haar argwaan is groot. Of zou het haat zijn?

Mirjana: 'De samenleving hier is heel hard. We hadden gehoopt dat het na de oorlog misschien wat zou beteren, maar dat is niet zo. Onbezorgd op straat komen is echt niet mogelijk. De haat spat er overal af. Je moet je voorstellen dat je in de stad waar je heel je leven hebt gewoond, bang bent om mensen te ontmoeten. Bang voor de beschuldigende blik van de moslimbevolking, bang voor de beschuldigende blik van de Servische bevolking, waarvan sommigen het ons echt kwalijk nemen dat we met iedereen omgaan. Vooral voor de kinderen is het leven hard hier. Hoe kunnen ze in zo'n sfeer ooit weer gelukkig samenleven? Daarom zijn we in 1998 met deze organisatie gestart, we wilden aan de kinderen een veilige en vriendelijke samenleving aanbieden. Tot voor kort werkten we samen met een moslimorganisatie uit Tuzla, maar er was teveel onenigheid en onbegrip van weerskanten. We zijn gesplitst. We willen met alle nationaliteiten samenwerken, maar het zijn vooral de Servische kinderen uit de Krajina (Kroatië) die we hier opvangen. Ze werden daar verjaagd en wonen nu hier. Een grote groep vluchtelingen uit de Krajina is naar hier gekomen en is in de leegstaande huizen gaan wonen. Deze kinderen zijn ook oorlogsslachtoffers, zij hebben ook mensen zien doden, ze zijn ook veel familieleden kwijt.'

Amra vertaalt vlot. Alsof ze het bij Amica niet over ellende hebben, kijkt ze me speels aan. Lacht zelfs haar tanden bloot.

'Ik heb hen net verteld dat we goede vrienden zijn en dat ik misschien met jullie naar het buitenland zal meegaan.'

'Amra, er is niks beslist,' probeer ik te temperen.

Françoise streelt even over haar hoofd. 'Weet je, Amra, vanavond gaan we uit. We nodigen je uit.'

Mirjana verontschuldigt zich en vraagt of we morgen kunnen terugkeren. Dan is hun voorzitster aanwezig. Bij het afscheid schudt Mirjana ons heel vertrouwelijk de hand. Njeskoslava keert ons haar rug toe.

We spreken met Amra in café Marlboro af. De keuze is overigens beperkt. Het is de enige plaats waar lichtjes branden.

'Een frisse pint, dat zal deugd doen,' zeg ik.

Françoise denkt aan een glas wijn. Isobel glimlacht. Advija blijft thuis. De avond bezorgt me letterlijk en figuurlijk koude rillingen. Het is al donker en op straat worden we spottend en dreigend door iedereen aangekeken. Sommige jongemannen roepen ons na. Gelukkig begrijpen we de taal niet. Ik ben blij als we eindelijk in café Marlboro, die aan een zijstraat van het marktplein ligt, binnenstappen. We zijn de enige klanten in het kleine café dat smakeloos is opgetut met groene gordijnen en al te veel glimmende toestanden. Op de achtergrond staat een televisie aan.

'Een bier?', vraag ik meteen.

'Geen alcohol,' antwoordt de jongeman die het café openhoudt. Natuurlijk, we zijn in een moslimcafé. Thee is de norm. Muntthee dan maar. Françoise is ontgoocheld.

'*Eh bien, mon dieu, un bon verre de vin*, geef me maar Frankrijk!', zucht ze.

Amra komt een hele tijd later binnen met in haar kielzog een paar jonge mannen die ze als vrienden voorstelt.

Ook zij drinken thee en lachen er vrolijk op los. Wat al te luidruchtig. Isobel, Françoise en ik proberen ondertussen wat te keuvelen. Ach, het is allesbehalve gezellig. Het is zelfs benauwelijk. In een sfeer van haat, van achterdocht, kan je toch moeilijk keuvelen? We gaan maar terug naar Advija.

'Té vroeg,' vindt Amra.

Ze vindt het ook spijtig dat we niet meer aandacht aan haar vrienden gaven. Maar ze wil ons zeker goed gestemd houden en gaat daarom zonder verder morren mee naar huis. Het huis van haar mama ligt zo'n tiental huizen verder dan het huis van Advija. We begeleiden haar tot aan de voordeur.

'Morgenvroeg ben ik terug bij jullie, ik ga terug mee naar Amica,' wuift ze vrolijk.

Het is al over half elf, Advija zit nog ons op te wachten, de sigaret in de hand. Françoise en ik stellen uit de autovoorraad het avondmaal samen. Gerookt vlees, camembert, wat beschuiten. Zonder wijn. In een klein plastic teiltje doet Isobel de afwas. In de woonkamer die vol sigarettenrook hangt, moeten we slapen. Ik steek nog even mijn hoofd buiten voor wat frisse lucht. Het is donker en stil in Srebrenica. Het is bitter, bitter koud als we gaan slapen. Het is koud in Europa.

Vanmorgen hebben we opnieuw een afspraak met de organisatie Amica. De voorzitster, Vesna Jovanovic, is een heel open en vriendelijke vrouw. Ze gaat de confrontatie helemaal niet uit de weg. Ze kijkt niet naar de grond, maar recht in onze ogen als ze over de genocide spreekt. Ze beaamt de afschuw, de gruwel en de grootschaligheid van de misdaad.

'Zoiets mogen we nooit meer meemaken,' zegt ze, 'oorlog wordt boven onze hoofden beslist, en dan worden wij vrouwen en kinderen het meest getroffen. Toch?'

Vesna geeft toe dat het voor de moslimvrouwen een hele opdracht moet zijn om hier in Srebrenica terug te keren. 'Maar ook voor ons, Servische vrouwen, ligt het allemaal heel moeilijk. Men bekijkt ons altijd beschuldigend, wij zijn dé misdadigers. Daarom worden de drama's die we zelf meemaakten altijd geminimaliseerd. Onze verhalen krijgen niet veel aandacht. Maar een verkrachting, de dood van je moeder, heeft dat met nationaliteit te maken?'

De vrouwen in het gezelschap knikken instemmend. Ik heb met hen te doen, het moet inderdaad vreselijk zijn in zo'n sfeer te leven. Ik zou hen graag meenemen, naar een plaats waar geen vragen over schuld en onschuld worden gesteld. Wat hebben Vesna en Mirjana inderdaad met misdaad te maken? Tien jaar geleden waren ze nog pubers. Nu dragen ze onnoembare lasten op hun schouders. Dragana Vukovic is 26 jaar, heeft net haar studies rechten in Belgrado afgemaakt en wil me haar verhaal vertellen. Een verhaal waar nog nooit iemand de tijd voor nam. Het verhaal van een Servisch meisje dat voor de Balkanoorlog in Krajina, Kroatië, woonde. Een meisje dat ook het slachtoffer werd van etnische zuiveringen. Dit keer Kroaten tegen Serviërs. Het is het zoveelste indringend verhaal van verkrachting, van rennen voor je leven, van een moeder die beestachtig werd vermoord. De ogen van Dragana smeken om begrip, om aandacht. Soms kan luisteren zo hartverscheurend zijn.

'Mijn opa werd ook gedood,' zegt Dragana nog.

Er volgt een discussie tussen de vrouwen waarvan ik niks begrijp. Amra werpt me een veelbetekende blik toe. Misschien wil ik het niet eens weten. Maar Amra is ijverig, we zijn pas buiten of ze wil me absoluut de inhoud van de discussie vertellen.

'Dragana's opa was normaal gestorven, de vrouwen maakten zich kwaad omdat ze begon te overdrijven. "Met zo'n leugens maken we ons ongeloofwaardig," zeiden ze tegen Dragana. Ze waren heel kwaad op haar, heb je dat niet gezien?', vertelt Amra.

'Ze hadden gelijk,' snijd ik nog verdere commentaar van Amra de pas af.

'Kom Françoise, we gaan nog eens terug.'

Françoise begrijpt meteen wat ik bedoel.

Mirjana vraagt verwonderd of we iets vergeten zijn.

De vriendelijke Servische vrouwen van Amica

'Ja,' zeg ik, 'ik ben vergeten te zeggen dat ik jullie heel erg apprecieer en jullie vriendschap bijzonder op prijs stel. Kunnen we niet samen nog wat koffie drinken?' De vrouwen zijn verrast en zetten nieuwe kopjes op tafel. We praten nog lang na. Niet meer over oorlog, maar over kinderen en over toekomst. Over mode zelfs en winkels drie dringend in Srebrenica moeten worden geopend. Als ik bij ons afscheid een foto wil nemen, legt een Servische vrouw kameraadschappelijk haar arm over Amra. Het ontroert me.

'Misschien kom ik wel eens terug,' zegt Amra, 'tenzij ik naar het buitenland kan natuurlijk.'

We lachen allemaal om de vastberadenheid waarmee ze wil ontsnappen aan 'het kloteleven in Srebrenica', zoals ze het noemt.

We blijven nog een dag in Srebrenica. Bij de buurman van Advija hebben we wat groenten gekocht. Françoise kookt een lekkere soep voor Advija, die zoals steeds in haar woonkamer aan de achterkant van haar woning blijft, waar ze rookt en wacht op betere tijden.

We wandelen naar het huis van Sabra, waar nu Serviërs wonen, en rijden naar het Memorial en kerkhof van Potocari, waar we langs de rijen hoopjes aarde lopen en zuchten van machteloosheid.

Als we vertrekken vraagt Advija: 'Waarom nu al?'

Amra, de vredesduif

Met ons gezelschap voelt ze zich meer thuis in haar eigen stad. Maar we hebben ondertussen ook nog een afspraak in Tuzla. Daarom stellen we voor om niet meer via Sarajevo te rijden.

'Geen probleem,' zegt Isobel, 'morgen rij ik met Advija terug naar Sarajevo.'

Met haar weemoedige blik wuift Advija ons uit.

'Kom terug,' zegt ze gewoon.

Amra is in alle staten, ze huilt, slaat haar armen rond me en zegt dat ze me niet laat gaan. We geven haar de rest van onze geschenkjes en vragen haar ze naar eigen goeddunken uit te delen. Ik geef haar nog mijn parfum, wat kleren. Ze blijft ontroostbaar.

'Maar we houden contact en we zien wel,' beloof ik.

Ze wil zekerheid. Ze laat Françoise en mij zweren.

'Zo,' ze steekt haar twee vingers omhoog.

'Zeg, ik zweer,' dringt ze aan.

We lachen en zweren niks. Het is gevaarlijk beloftes te doen die je niet kan houden.

Uiteindelijk voel ik me heel opgelucht als we een paar uur later Srebrenica verlaten. Die spannende, depressieve sfeer is verschrikkelijk. De lucht is nog steeds van angst, dood en haat doordrongen. Als we voorbij het gebouw van de Bosnisch-Servische organisatie Amica rijden, komen net enkele vrouwen buiten. We houden halt en drinken nog samen een koffie in hun kantoor dat over enkele maanden moet sluiten bij gebrek aan geld en Westerse belangstelling.

Ik vraag me even af hoe Munira, Sabra, Kada en de andere vrouwen zouden reageren als ik hun vertel dat ik ook heel veel genegenheid voor deze Servische vrouwen voel. Haat en liefde liggen zo dicht bij elkaar.

Als we wegrijden gooien ze ons een paar kushandjes toe.

Via Bratunac, Zvornik, rijden we naar Tuzla. Bijna overal worden we aan beide kanten van de weg voor mijnen gewaarschuwd.

In Mihatovici houden we nog even halt. In Bosnië zijn er tien jaar na het einde van de oorlog nog talrijke vluchtelingenkampen die goed bevolkt zijn en helaas nooit meer in de belangstelling komen. Een kleine zijweg leidt ons naar het vluchtelingenkamp van Mihatovici, waar nu nog 2500 vluchtelingen verblijven!

Het is een kamp dat jaren geleden door Noorwegen werd gebouwd en geschonken. Kleine houten huisjes, barakken eigenlijk. Zoals zoveel vluchtelingenkampen die met Westers geld werden geïnstalleerd. Tot de oorlog voorbij zou zijn. Meer dan tien jaar later is er voor veel vluchtelingen niks veranderd. Ze leven nog steeds in even tijdelijke omstandigheden. Het water wordt nog altijd met emmers en kruiken bij de centrale waterput gehaald. Mensen zitten nog steeds werkloos en wezenloos voor zich uit te staren. Erger nog, tijdens de oorlog was men ervan overtuigd dat het ooit beter zou worden. Nu is men die zekerheid kwijt. De hulp komt niet meer zo gul, het voedsel is schaars. Aan een hoek van een huisje zit een vrouw op de grond. Voor haar ligt een tapijt waarop ze tweedehands kleren voor een habbekrats te koop aanbiedt. Oude kleren die ooit met tientallen vrachtwagens werden aangevoerd. Als we naar haar toe wandelen, plooit ze vlug haar tapijt dicht en vertrekt haastig met haar vracht op haar rug tussen de smalle straatjes van de barakken. Gegeneerd allicht dat ze de Westerse goedheid te gelde maakte.

In Tuzla hebben we aan het Tuzlahotel een afspraak met Mizara Musovic. Mizara is een gepensioneerde professor Frans en Engels. Tijdens de oorlog maakte ze zich nuttig met vertalingen voor buitenlandse hulporganisaties.

Mizara Musovic beaamt wat we gezien hebben. 'Er is niet zoveel veranderd. Er is eenvoudigweg geen Bosnische economie. Je ziet wel grote bankinstellingen die zich voorbereiden, misschien is dat een teken van hoop? Ikzelf ben heel pessimistisch, Bosnië is een land zonder toekomst.'

Mizara is een mooie, gedistingeerde vrouw, haar verzorgde kleding laat zeker niet vermoeden dat ze moeite heeft om rond te komen. Samen met haar echtgenoot moet ze het rooien met een maandelijks pensioen van 125 euro. Daarom klust ze nog wat bij. Momenteel heeft ze één leerling die ze de taal van Molière onderwijst.

Mizara: 'Ik zou zo graag nog eens naar het buitenland gaan, maar dat zit er niet meer in. Ik kan me dat niet veroorloven. Mijn getrouwde dochter die in Bosnië gebleven is, heeft het al even moeilijk als wij. Zij kan ons niet helpen en wij haar niet. Ach, als we nu toch eens die oorlog konden vergeten en erover zwijgen. Met mijn vriendinnen, met wie ik wekelijks samenkom, hebben we besloten om nooit meer het woord "oorlog" in onze mond te nemen. Het woord ligt echter zo vreselijk dicht op de lippen. Zonder het te beseffen, zijn we na tien minuten alweer over de oorlog bezig. Het is moeilijk, ik verzeker het u.'

We blijven nog een hele tijd napraten. De lentezon doet ons goed. In de late namiddag nemen we afscheid. Vanavond nog, willen we Zagreb bereiken.

Het oogletsel van Françoise is gelukkig verbeterd, ze heeft het stuur overgenomen. Ze rijdt tot aan de grenspost in Orasje. Aan de douane raad ik Françoise aan aan te schuiven in de rij met de mannelijke douaniers.

'Vrouwen zijn altijd strenger.'

Françoise tart het lot en schuift aan bij de vrouwelijke douane, die ons inderdaad grondig controleert. We moeten alle bagage openmaken. Françoise grijpt verschillende keren naar haar paternoster: '*Univers infini*' dringt ze aan, 'help ons'.

Het helpt niet, de douane blijft vragen en controleren.

Uiteindelijk mogen we vertrekken. We hebben nog zo'n 247 km voor de boeg.

Caroline Socie wacht ons in Zagreb op. We zouden samen iets gaan eten in het centrum van Zagreb. Het is al goed donker als we eindelijk aankomen. Maar het restaurant Nokturno (what's in a name?) is laat open en we genieten helemaal ontspannen van heerlijke pasta's met een al even heerlijke wijn.

'Over drie dagen ben ik thuis,' laat ik met een diepe en tevreden zucht weten.

's Morgens krijgen we een heerlijk ontbijt bij Caroline, die vroeg moet vertrekken. Ze moet op de Franse ambassade hoge gasten ontvangen.

'Geen nood, we vinden wel de uitgang,' verzekeren we haar.

Net voor we vertrekken, zet Françoise zich nog even aan de piano.

Heel plechtig maakt ze haar vingers los en buigt naar het toetsenbord. Ze speelt '*La valse de l'adieu*' van Chopin.

Ik ben haar enige publiek, haar enige toehoorder. Hemelse muziek. Ik wil lachen, maar voel verraderlijke tranen dringen.

Een hoopvol vervolg

My dear,

Ik hoop dat je de Nieuwsbrief hebt ontvangen die ik je gisteren via mail stuurde.

In die Nieuwsbrief staat een verslagje van Amra. Het bijzondere daarvan is het project dat Amra samen met Amica realiseerde. Een rechtstreeks gevolg van uw bezoek aan Srebrenica dit jaar. Je verplichtte Amra toen met je mee te gaan naar de Servische vrouwenorganisatie Amica, waar ze voor jou moest vertalen. Weet je nog? Een mooie vredesboodschap, vind ik.

Ik ben nog in Bosnië tot 12 december, daarna ga ik terug naar Engeland om de kerstdagen met mijn kinderen en kleinkinderen door te brengen. In de lente kom ik terug naar Bosnië.

Veel groetjes van Isobel.
1 december 2004
Isobel Denham, volunteer Project Leader for The Sphere of the Helmsman

Uittreksel Nieuwsbrief:

'Isobel stelde me voor om met een groep uit Srebrenica met vakantie naar Engeland te gaan. Ik vond dat een geweldig idee. Ik zei haar dat het misschien een goed idee zou zijn om ook Servische jongeren te laten meegaan. De helft Serviërs en de helft moslims.

Ik stelde een groep van zestien personen samen. Gemengd, zowel Servisch als moslim, jongeren en volwassenen.

Eerst dacht ik: dat kan ik niet doen, dat zal problemen geven. Maar uiteindelijk ging alles heel goed. Er waren geen echte meningsverschillen, het was een formidabele vakantie. We waren tien dagen aan zee. Voor sommige kinderen was dat de allereerste keer van hun leven. Kinderen leerden zelf zwemmen.

Big thanks from Srebrenica!
Amra Fazlic

Korte geschiedenis van de Srebrencia-genocide

8 juli 1995
Bosnisch-Servische soldaten nemen de laatste moslimverdedigingsposten in.
Ze dringen er bij de angstige moslimbevolking op aan om hun wapens in te leveren.
In een chaotisch moment wordt een granaat gegooid. Een Nederlandse blauwhelm
komt om.

9 juli 1995
De Serviërs verhogen nog de aanvallen en komen via het zuiden dichter bij Srebrenica.
Ze gijzelen 30 Nederlandse blauwhelmen.

10 juli 1995
Kolonel Karremans vraagt voor de derde keer om luchtsteun. Zijn overste, generaal-
majoor Cees Nicolai, laat weten dat zijn verzoeken om luchtsteun 'niet voldoen aan de
richtlijnen.'
Serviërs bezetten de heuvels dicht bij het centrum van Srebrenica.
Kolonel Karremans herhaalt zijn vraag om luchtsteun.
De volgende morgen 'zouden' 50 NAVO-vliegtuigen worden ingezet.
Zo'n 4.000 vluchtelingen hebben zich in het centrum van Srebrenica verzameld.
Er is ontzettend veel paniek in de straten.

11 juli 1995

9.00 Men laat kolonel Thom Karremans weten dat zijn aanvraag om luchtsteun
op een verkeerd formulier is ingevuld.

10.30 Uiteindelijk bereikt de nieuwe aanvraag het hoofdkwartier, maar de vliegtuigen
zijn dan al zolang onderweg dat ze geen brandstof meer hebben. Ze moeten
allemaal naar hun basis in Italië terugkeren.

11.00 Meer dan 20.000 vluchtelingen zetten zich op weg naar het VN-kamp in
Potocari.

12.05 Er komt toelating voor de luchtbombardementen.

14.40 Twee Nederlandse F-16's laten een paar bommen op Servische stellingen vallen.
De Serviërs dreigen om de gegijzelde VN-soldaten te doden.

Verdere aanvallen worden afgeblazen.

16.15	Ratko Mladac komt naar Srebrenica met in zijn gevolg Servische televisiecamera's.
	5.000 vluchtelingen vinden een plaats binnen de Nederlandse VN-basis.
	Meer dan 20.000 zoeken hun toevlucht in de velden en fabrieken rondom.
16.45	Servische soldaten komen in Potocari aan.
20.30	Mladic vraagt kolonel Karremans voor een ontmoeting. Die laatste vraagt voedsel, water en medicijnen voor de vluchtelingen. Mladic zegt dat de moslims eerst hun wapens moeten afgeven. Hij geeft Karremans een ultimatum.
24.00	Om middernacht vluchten 15.000 mannen via de heuvels. Ze proberen doorheen mijnenvelden veilig moslimgebied te bereiken.
	Mladic en generaal Krstic ontvangen een delegatie uit Srebrenica.
	Mladic vraagt om alle wapens in te leveren en doet de merkwaardige uitspraak: 'Allah kan u niet meer helpen, alleen Mladic kan dat nog.'

12 juli 1995

Tientallen bussen komen aan in Potocari waar de vluchtelingen verzameld zijn.

De mannen van 12 tot 77 worden van de vrouwen gescheiden om over hun 'oorlogsmisdaden' te worden ondervraagd.

Vrouwen en kinderen vertrekken met de bussen.

17u00: Een onvoorstelbare chaos die door niemand valt te controleren.

23.000 vrouwen en kinderen worden weggevoerd.

Honderden mannen worden in vrachtwagens en hangaars vastgehouden en later gedood.

Ondertussen hebben de Serviërs ook duizenden moslims die via de heuvels waren gevlucht, opgepakt en later vermoord.

De vrouwen en kinderen moeten voor Kladanj de bussen verlaten en moeten 6 km te voet naar moslimgebied, waar ze opnieuw op bussen worden gezet, richting Tuzla.

13 juli 1995

400 mannen worden in een opslagruimte in Bratunac opgesloten.

Tot middernacht worden uitgeputte mannen die via de heuvels vluchtten, opgepakt. Ze worden in Kravica Village opgesloten. Meer dan duizend mannen worden gedood.

16 juli 1995

Van 12 tot 16 juli gaan de slachtingen om en rond Srebrenica door.

Uiteindelijk worden meer dan 7.000 mannen vermoord.

De VN-blauwhelmen verlaten Srebrenica en komen op 22 juli in de Kroatische hoofdstad Zagreb aan. Ze reageren opgelucht op de afloop.

Kroniek van hoop

Oorlog laat diepe sporen na in het leven van vrouwen. In conflictgebieden zijn vrouwen en meisjes de meest kwetsbare groepen: zowel tijdens als na de oorlog. Toch is er nog steeds onvoldoende aandacht voor de rechten en specifieke noden van vrouwen in de vredes- en heropbouwprocessen van de samenleving.

In het boek 'Kroniek van onmacht' getuigen deze vrouwen hoe fataal het kan aflopen als er slordig en onachtzaam met het heropbouwproces wordt omgegaan. Daarom is het meer dan ooit nodig om samen met de 'eerste' hulp ook een toekomstperspectief te bieden en een kans op deelname aan de heropbouw van een samenleving. Maar al te vaak nog, worden vrouwen daarbij over het hoofd gezien.

Dat is ook zo in Afghanistan. Meer dan 23 jaar oorlog hebben een verwoest land en een ontredderde bevolking achtergelaten. De Afghaanse vrouwen en meisjes hadden en hebben het extra zwaar. Het vredesproces heeft voor de vrouwen en meisjes niet veel verandering gebracht. Vrouwen hebben nog steeds geen gelijke rechten, geen gelijke toegang tot de gezondheidszorg en ze nemen nog altijd niet of nauwelijks deel aan het openbare leven. Het zijn diep vernederde vrouwen. En toch is er hoop.

Reden tot hoop is bijvoorbeeld het Vrouwenhuis in Istalif, op 40 km van de hoofdstad Kabul.

Het Vrouwenhuis is een sociaal én vormingscentrum dat de Afghaanse vrouwen helpt bij de integratie in het sociale en economische leven. Het huis opende zijn deuren in juli 2003. Vrouwen kunnen er terecht voor gratis medische consultatie en basisgezondheidszorg, voor alfabetiseringslessen en beroepsopleidingen, en voor andere hulp.

Het Vrouwenhuis is een initiatief van Moeders voor Vrede (België), (waarvan de auteur van Kroniek van onmacht, voorzitter is), Mères pour la Paix (Frankrijk) en de Nederlandstalige Vrouwenraad. Met het Vrouwenhuis helpen zij de vrouwen en meisjes van Istalif om hun menselijke waardigheid terug te vinden en geven zij hen een kans op een duurzame toekomst.

Ook u kunt de Vrouwen van Istalif helpen. De Koning Boudewijnstichting (KBS) werkt mee aan het project. Giften vanaf 30 euro zijn fiscaal aftrekbaar (Art. 104 WIB). Stort uw financiële bijdrage op rekening 000-0000004-04 van de Koning Boudewijnstichting, Brussel, met de vermelding: 'dossier L7899-Vrouwenhuis Istalif -Kroniek van onmacht'.

Meer info
Vrouwenraad: 02/229.38.19 – Maggi Poppe.
nvr.mpoppe@amazone.be
www.vrouwenraad.be
Moeders voor Vrede: *Mothers.for.peace@skynet.be*
jennie.vanlerberghe@tiscali.be